E N   F O R M E   P O U R
COMBATTRE LE CANCER

Anna L. Schwartz, FNP, Ph. D., FAAN

EN FORME POUR
COMBATTRE LE CANCER

Un programme d'exercices
pour les personnes qui en sont atteintes
et celles qui y ont survécu

CAR
ACT
ERE

Publié précédemment aux États-Unis sous le titre *Cancer Fitness* par Fireside, une division de Simon & Schuster, Inc., New York.
Copyright © 2004 par Anna L. Schwartz

Traduction : Claire Perreau
Révision : France de Palma
Révision technique : Valérie Cousseau
Conception graphique et mise en pages : Folio infographie
Couverture : Folio infographie
Photo de la couverture : Getty Images

Imprimé au Canada

ISBN 2-923351-19-3
Dépôt légal – 1er trimestre 2006
Bibliothèque nationale du Québec

© 2006 Éditions Caractère pour l'édition en langue française

JE DÉDIE CE LIVRE À

Mes patients et à mes collègues qui m'ont tant appris et qui ont eu une grande influence sur ma vie et sur mon travail;

Christine, ma mère et ma meilleure amie, qui m'a appris à poursuivre mes rêves et à écouter mon cœur;

Roberta Adams, M.D., et Saundra Buys, M.D., qui sont restées près de moi et m'ont aidée à traverser une des plus difficiles périodes de ma vie;

Daniel Shapiro, qui m'a encouragée à aller au bout de ce livre et qui m'a été d'une grande inspiration;

Betsy King, dont l'enthousiasme et la passion pour la vie m'ont poussée à aller au-delà de mes rêves;

Mes chères amies Susanna Cunningham, Kathleen Jennings et Kerri Winters, qui ont patiemment lu et relu mes ébauches et m'ont fourni des opinions et des idées précieuses;

Sabra Jones, qui symbolisait le message que véhicule ce livre en profitant pleinement de la vie, en poursuivant ses rêves et en étant une source d'inspiration pour de nombreuses personnes. Puissions-nous tous et toutes avoir son courage, sa détermination et son inspiration pour écouter notre cœur et, comme le veut la philosophie hozho des Navajo, pour « marcher dans la beauté ».

Je voudrais remercier mon agente, Judith Riven, pour avoir cru en moi et pour m'avoir encouragée à accomplir ce travail.

AVIS DE NON-RESPONSABILITÉ

Ce livre contient les opinions et les idées de son auteur. Son objectif est de fournir des renseignements utiles sur les sujets abordés. Il est entendu que la vente de ce livre ne représente nullement de la part de l'auteur et de l'éditeur l'intention de fournir des services médicaux, de santé, ou tout autre type de services professionnels personnels mentionnés dans le contenu. Le lecteur devrait consulter son propre professionnel de la santé ou tout autre professionnel compétent avant d'adopter les suggestions formulées dans ce livre ou d'en tirer des conclusions.

L'auteur et l'éditeur se dégagent de toute responsabilité concernant les éventuels dommages, pertes ou risques – personnels ou autres – encourus, directement ou indirectement, à la suite de l'utilisation et de l'application du contenu de ce livre.

TABLE DES MATIÈRES

PRÉFACE

Faire de l'exercice pourrait bien être une des meilleures choses que vous puissiez faire pour vous pendant et après le traitement de votre cancer. J'ai réussi à surmonter mon cancer des testicules avec métastases dans la meilleure forme possible, tant sur le plan physique que psychologique, parce que je suis resté actif. En fait, je suis convaincu que mon programme d'exercices, spécialement conçu pour répondre aux besoins de mes traitements et à la diminution de mes capacités physiques, m'a permis d'être dans l'état physique et psychologique requis pour gagner le Tour de France. Ceci dit, il n'est pas indispensable d'être un professionnel ni même un sportif amateur pour tirer profit d'une activité physique pendant et après le traitement. Cet excellent guide, élaboré par le docteur Anna L. Schwartz, est très instructif et vous apprend à prendre votre bien-être en main et à faire des merveilles pour vous-même. C'est cette même responsabilisation que nous, à la Fondation Lance-Armstrong, cherchons à procurer aux personnes souffrant, ou ayant souffert, d'un cancer. Le docteur Anna L. Schwartz a puisé dans sa propre expérience de survivante au cancer et d'infirmière en oncologie, ainsi que dans ses connaissances acquises au cours de ses études pour vous offrir de l'information et des conseils qui vous permettront de contribuer à améliorer votre qualité de vie pendant et après le cancer. Le cancer ne doit pas vous enlever ce droit.

J'espère que l'activité physique vous aidera à recouvrer une meilleure santé et vous procurera des moments de plaisir.

LANCE ARMSTRONG
Fondateur de la Fondation Lance-Armstrong
Sept fois champion du Tour de France

AVERTISSEMENT

Le programme En forme pour combattre le cancer est fondé sur une recherche scientifique. Des instructions et des précautions détaillées sont fournies tout au long du livre et il est important que vous les lisiez attentivement. Les recommandations formulées dans ce livre ne visent pas à remplacer les conseils d'un médecin qui connaît bien votre état. Chaque corps est unique et il est essentiel que vous collaboriez avec l'équipe médicale qui vous soigne. Je vous conseille de discuter avec votre médecin des précautions à prendre en matière d'exercice physique ou des contre-indications propres à votre maladie ou à votre traitement et dont vous devez tenir compte. Les renseignements et les recommandations que je présente respectent les normes de pratique en vigueur au moment de la publication de ce livre.

LES RAYONS X REPÈRENT LA TACHE : POINT DE VUE PERSONNEL SUR LE CANCER ET L'EXERCICE PHYSIQUE

Nous étions le 13 février 1988 lorsque les rayons X repérèrent la tache. Lymphome non hodgkinien. J'entendis le diagnostic mais pas le reste de la phrase du médecin. Puis, tandis que je commençais à mieux comprendre la signification du diagnostic, j'eus la sensation de devenir de plus en plus petite à mesure que la peur m'envahissait. Ma vie s'effondrait et je n'étais plus une jeune femme insouciante de 24 ans. J'avais la sensation que des nuages menaçants m'entouraient comme lors d'une tornade et me recouvraient de leur opacité. Seule, terrifiée et ne sachant que penser, j'étais submergée par les émotions et par la perspective des nombreuses décisions à prendre.

Tel un cheval avançant avec des œillères, je décidai de me concentrer méthodiquement sur le dernier semestre de mes études en sciences infirmières, incapable de voir ce qui se passait d'autre dans ma vie. Mes cours commençaient à 8 heures et les journées passées en milieu hospitalier commençaient à

7 heures. Ce rythme de vie me permettait d'oublier quelque temps les nuages noirs qui tourbillonnaient au-dessus de ma tête, même si je sentais toujours leur présence tel un mauvais présage.

Dans un effort visant à minimiser mes peurs et à faire face au diagnostic, je décidai d'appeler mon cancer le «petit problème». Si c'était un «petit problème», ça ne pouvait pas être bien sérieux, n'est-ce pas? Il se trouve que ce petit problème a complètement modifié ma façon d'envisager la vie et m'a permis de développer une sorte d'intensité, de concentration et de passion pour l'excellence ou, du moins, pour faire de mon mieux et me consacrer à ce qui me semblait vraiment important. Quel changement radical pour la jeune fêtarde de l'université de Floride que j'étais! Avant mon diagnostic, j'étais une étudiante typique qui prenait la vie avec légèreté sans se faire trop de soucis tout en faisant mon travail sans être véritablement concentrée ou déterminée.

Curieusement, j'ai toujours aimé repousser mes limites et explorer de nouvelles frontières, et lorsque j'obtins mon diplôme d'infirmière, j'ai voulu trouver un travail avant-gardiste axé sur la recherche. Je n'ai pourtant pas réalisé, ou peut-être était-ce une forme de déni, qu'en acceptant un poste dans une unité de transplantation de moelle osseuse, tous les patients seraient atteints du cancer. Lorsque je m'en rendis compte au cours de ma première semaine de travail, cette prise de conscience me perturba énormément parce que les inquiétudes des patients ressemblaient de trop près à ma lutte personnelle. Pour rendre les choses encore plus difficiles, une femme de mon âge se faisait soigner pour un lymphome, et tout le monde était d'avis qu'elle aurait pu être ma jumelle. Non seulement nous nous ressemblions physiquement, mais nous avions en outre le même sens de l'humour et les mêmes goûts. Je ne supportais pas de m'occuper d'elle, et encore moins de la voir et de suivre l'évolution de son état lors des comptes rendus quotidiens. Lorsque je rentrais chez moi à la fin de la soirée, j'étais submergée par l'intensité de la journée et par toutes les émotions que j'avais ressenties. Bien qu'ayant toujours été sportive et ayant participé à des compétitions de tennis, de natation et de course, je me sentais dépassée par les événements et je commençais à prendre du poids, à être déprimée et à voir ma condition physique se détériorer sérieusement.

Je savais que je devais agir ; il fallait que je bouge ! L'activité physique avait toujours eu sur moi un effet libérateur tout en me permettant de me recentrer. Le cyclisme m'était toujours apparu comme le sport idéal, alliant l'activité physique à la possibilité de se déplacer rapidement d'un endroit à l'autre, et un de mes rêves d'enfant avait été de traverser les États-Unis à vélo. Alors, encouragée par une amie, j'ai commencé à faire du vélo avec un groupe local. Je n'avais pas réalisé que Gainesville, en Floride, était considérée comme la Mecque de l'entraînement d'hiver des cyclistes et que je faisais du vélo avec des coureurs de renommée internationale. J'en fus très surprise lorsque j'en pris conscience. J'étais enchantée et incroyablement motivée à l'idée de passer plus de temps sur mon vélo. Je me suis alors lancée avec enthousiasme et une passion toute nouvelle dans le cyclisme et, à ma grande surprise, j'obtenais des résultats qui dépassaient mes attentes ; ma dépression diminuait, je perdais du poids et je gagnais des courses. Je pratiquais le cyclisme avec zèle, enthousiasme et intensité. J'étais déterminée à participer aux différentes courses profes-sionnelles et à avoir un horaire de travail plus flexible. Mon infirmière gestionnaire a été formidable et nous nous sommes entendues sur un horaire de travail qui m'a permis de voyager et de participer aux courses, d'organiser des activités d'entraînement et de formation et de m'entraîner pour gagner trois records du monde.

Après plusieurs mois de conflit émotif, je suis parvenue à faire la différence entre ma propre maladie et celle de mes patients, et j'ai compris que mon expérience me donnait une perspective différente et me procurait un moyen d'aider mes patients. C'est au cyclisme que je dois d'avoir réussi à relever ce défi émotionnel. Lorsque je faisais du vélo avec le groupe, je devais me concentrer complètement pour arriver à suivre les cyclistes, mais lorsque je me promenais seule, je pouvais passer des heures à penser à la beauté et aux difficultés de la vie. Ces moments passés seule sur mon vélo ont eu l'effet d'une thérapie, tout comme l'exercice en général, puisque j'avais l'occasion de réfléchir à mon cancer, à mon traitement, à la personne que j'étais et à ce que je voulais faire pendant la prochaine année, ou encore pendant les trois ou les cinq prochaines années. Et que ferais-je si j'avais dix ans devant moi? Le cyclisme m'a appris la discipline et la détermination qui m'ont aidée non seulement à supporter les traitements de mon cancer mais aussi à concrétiser ma volonté de consacrer ma vie à aider les gens à surmonter leur cancer.

Au cours des années suivantes passées dans l'unité de transplantation de moelle osseuse, j'ai remarqué que certains patients semblaient souffrir moins que d'autres. La différence principale était que certains patients se levaient et marchaient dans leur chambre ou utilisaient le vélo stationnaire qui se trouvait dans chaque chambre, au lieu d'y mettre leur manteau ou d'y accrocher leur sac à main. Les patients qui avaient leur propre programme d'exercices semblaient être en meilleure santé physique et émotionnelle. Ces patients étaient souvent en mesure de se déplacer en fauteuil roulant sans aide, alors que les autres avaient besoin qu'on les pousse. En observant mieux les patients qui étaient actifs, j'ai réalisé qu'ils semblaient bénéficier des mêmes bienfaits que ceux que j'avais moi-même ressentis en faisant de l'exercice. Faire de l'exercice physique avait l'air de diminuer leur niveau de souffrance, de fatigue, de prise de poids, de dépression et d'anxiété. Ce phénomène m'a tellement intriguée que j'ai décidé de retourner étudier afin d'obtenir un diplôme qui me donnerait les compétences pour faire de la recherche et pour mener à bien les études qui me permettraient de prouver qu'il existait bien un lien entre l'exercice physique et le rétablissement d'un cancer.

J'ai fait un certain détour pour obtenir mon doctorat en études de sciences infirmières, mais cela n'a pas été du temps perdu puisque j'ai réalisé en cours de route que de nombreux médecins craignaient que l'exercice physique n'ait un effet néfaste sur leurs patients atteints du cancer et que très peu de recherches avaient été effectuées pour étudier les répercussions de l'exercice sur ceux-ci. En me basant sur mes connaissances en matière de science des exercices (j'ai obtenu un diplôme de bachelière ès sciences* dans ce domaine à l'université de Floride en 1985), il m'apparaissait logique qu'un programme d'exercices puisse être élaboré en adaptant simplement le type d'exercice physique aux limites physiques auxquelles un patient atteint du cancer était soumis. Je devins donc une patiente et une infirmière en oncologie spécialiste

* Équivalent de la licence en France. (N.d.T.)

du domaine; je savais ce qui devait être fait, mais il n'était pas facile de convaincre un professeur d'appuyer cette recherche. J'ai donc décidé d'aller chercher les connaissances dont j'avais besoin, et au cours de ce processus j'ai obtenu plusieurs diplômes universitaires qui, réflexion faite, m'ont été d'une grande utilité.

Après quelques recherches, j'ai réussi à trouver un mentor qui me soutenait dans ma lutte contre le cancer et dans mes recherches sur l'exercice physique, et une nouvelle vie merveilleuse s'ouvrit à moi grâce à l'heureuse combinaison de mon expérience à titre de sportive et d'infirmière, et de mes connaissances acquises récemment dans le domaine de la recherche. Le programme doctoral me permettait de commencer à tester officiellement ma théorie selon laquelle l'exercice physique pouvait réduire certains effets secondaires du traitement du cancer. Ironiquement, mon mentor, Lillian Nail, Ph. D., IA, FAAN, avait survécu à un lymphome et à un cancer du sein, mais, contrairement à moi, c'était une sédentaire diplômée! Elle apportait un point de vue stimulant pour le développement de ce domaine de recherche, ce qui me poussa à mettre au point des exercices physiques à la portée de tous les patients qui étaient en traitement pour leur cancer. Pendant mes études, j'emmenais régulièrement Lillian avec moi au club de gym. Elle m'a appris plusieurs choses, notamment que certaines personnes ont besoin d'aide, d'un soutien supplémentaire et de conseils pour apprendre à faire de l'exercice et à s'entraîner régulièrement. En entraînant Lillian, j'ai mieux compris les raisons pour lesquelles certaines personnes entament un programme d'exercices et parviennent à s'y tenir.

Mes études doctorales ont été interrompues en janvier 1995 par une récidive. J'étais anéantie, je hurlais de l'intérieur comme la peinture d'Edvard Munch, *Le Cri*, et j'étais de nouveau envahie par le sentiment à la fois familier et terrifiant d'avoir à me retirer et de devenir de plus en plus minuscule à mesure que les nuages noirs se rassemblaient au-dessus de ma tête. Cette fois-ci, les nuages étaient encore plus noirs et menaçants, comme teintés de cette couleur verte qu'ils prennent avant une tempête ou une tornade. J'étais désespérée et j'arrivais difficilement à croire ce qui m'arrivait.

J'ai dû lutter pour continuer mon travail pendant la chimiothérapie et j'ai ressenti une obligation pressante de faire régulièrement de l'exercice puisque, selon moi, c'était la chose à faire et cela m'avait aidée par le passé. De plus, l'exercice physique était au cœur de ma recherche. Pendant les jours qui suivaient un traitement de chimiothérapie, j'avais toujours de la difficulté à me lever et à bouger, mais le fait de marcher ou d'essayer de courir me faisait toujours du bien. Je jouais au tennis avec mes intraveineuses et mes cathéters, et je me sentais plus forte à chaque balle que je renvoyais, même si elle atterrissait en-dehors du terrain. En 1997, j'ai obtenu un doctorat de l'université de l'Utah en sciences infirmières. Depuis, je mène des recherches sur le cancer et l'exercice physique auprès de patients qui viennent d'être diagnostiqués ou qui ont survécu au cancer, en essayant toujours de trouver des moyens d'améliorer leur qualité de vie et de soulager leurs douleurs.

Lorsque je réfléchis au passé, je réalise que je n'avais aucune idée des répercussions que le cancer aurait sur ma vie et sur ma façon d'envisager la vie en général. Aussi stressante et terrible qu'ait été mon expérience du cancer, je suis devenue plus lucide, plus forte, et j'ai trouvé le courage de poursuivre mes rêves, ce qui m'a aidée à gagner trois records du monde de cyclisme en plus d'un titre lors d'un championnat national, et à devenir une spécialiste de la recherche sur l'exercice physique auprès de patients atteints du cancer. Bien que l'exercice ne soit habituellement pas recommandé ou officiellement prescrit aux patients atteints du cancer, j'ai appris par expérience et à titre de patiente, de sportive, et également après avoir effectué des recherches scientifiques méticuleuses auprès de personnes non sportives, que l'exercice physique pouvait renforcer non seulement votre corps, mais aussi votre âme.

Ma lutte personnelle contre le cancer, dont font partie les récidives et différents traitements, et mon expérience professionnelle à titre d'infirmière en oncologie m'ont procuré un point de vue unique sur la façon de mener mes recherches et d'enseigner aux autres la façon de gérer leur maladie et leur guérison. J'espère que les renseignements que je fournis dans les chapitres suivants vous aideront non seulement à entamer un programme d'exercices pour renforcer votre corps et guérir votre âme mais aussi à prendre conscience de vos capacités et à vivre une vie bien remplie.

La science a clairement démontré que la pratique régulière d'un exercice physique est importante pendant le traitement du cancer. Les patients ayant participé aux études de recherche, qu'ils soient jeunes ou âgés, minces ou gros, en forme ou non, ont démontré, sans exception, que l'exercice physique est important et qu'il est une composante bien trop souvent négligée par les programmes de traitement du cancer. L'exercice physique ne peut pas faire disparaître votre cancer, mais il peut sans aucun doute améliorer votre silhouette et vous permettre de vous sentir mieux et d'envisager la vie de façon plus positive.

CHAPITRE 1

QUEL LIEN FAIT
LA SCIENCE ENTRE
LE CANCER ET L'EXERCICE?

Le cancer a de nombreux effets secondaires éprouvants, mais le plus courant, et peut-être celui qui occasionne le plus de frustration, est la fatigue. Tout le monde a déjà ressenti de la fatigue au cours de sa vie, mais la fatigue associée au cancer et à son traitement est différente. Il s'agit d'une fatigue foudroyante et écrasante que le repos n'arrive pas à soulager. Les « crises » de fatigue et les périodes soudaines d'épuisement apparaissent de façon imprévisible et transforment les activités de la vie quotidienne en obstacles qui semblent insurmontables. Notre bon sens nous dicte de nous reposer afin de mieux nous sentir, mais dans le cas du cancer, le repos n'est pas réparateur la plupart du temps. Bien que nous nous sentions trop fatigués pour bouger, l'activité physique est essentielle pour éviter les effets invalidants de l'inactivité, comme l'atrophie musculaire, la réduction des fonctions cardiaque et respiratoire, ainsi que la baisse d'endurance et de force permettant de mener à bien nos activités courantes. Ce chapitre traite des répercussions physiques et émotionnelles de l'exercice physique sur les patients qui font l'objet d'un traitement du cancer.

L'EXERCICE PHYSIQUE N'EST PAS DANGEREUX

La science des exercices pour les patients atteints du cancer et pour ceux qui ont survécu au cancer a évolué rapidement au cours des dix dernières années. La première étude portant sur le lien entre l'exercice physique et les patients atteints du cancer date de 1986, et elle démontre que des exercices d'aérobie d'une intensité élevée ne représentent aucun danger pour les patients traités en chimiothérapie. Les chercheurs qui ont mené cette étude ont réussi à briser certaines des barrières et des peurs que les médecins et les gens en général entretenaient au sujet des patients qui font de l'exercice physique pendant leur chimiothérapie. Depuis, des études ont démontré à plusieurs reprises que l'exercice physique était sans danger, bien toléré et même recommandé pendant la chimiothérapie, la radiothérapie, l'immunothérapie et la transplantation de moelle osseuse. En se basant sur des études de recherche effectuées sur des dizaines d'années et appuyées par des tests pratiques dans le domaine de la réadaptation cardiologique, la science de la recherche sur le cancer et l'exercice physique a progressé rapidement, même si les prescriptions d'exercices diffèrent pour les patients atteints d'un cancer par rapport aux recommandations à l'intention des patients souffrant de maladies cardiaques.

FATIGUE

La fatigue liée au cancer est écrasante, invalidante, et elle n'épargne aucune partie du corps. Il est impossible de la décrire autrement qu'en disant qu'elle vous vide complètement.

– Un homme de 59 ans atteint d'un cancer de la prostate en phase 4.

La fatigue est le premier effet secondaire du cancer et de son traitement. Il s'agit de l'effet secondaire le plus intense et perturbateur du traitement du cancer et celui-ci touche la quasi-totalité des patients. Les chercheurs ont remarqué que la fatigue avait des répercussions très négatives sur la qualité de la vie. Même si nous ne savons pas ce qui cause la fatigue, il est évident que l'exercice la diminue. Les recherches ont prouvé que la pratique d'exercices d'aérobie pendant la chimiothérapie, l'immunothérapie, la radiothérapie ou la transplantation de moelle osseuse diminuait efficacement la fatigue. Dans le cas de patients atteints de métastases, l'exercice physique a le même effet.

La bonne nouvelle est que la pratique d'un exercice d'intensité modérée effectué sur une courte durée (dix minutes suffisent), au moins un jour sur deux, permet de réduire la fatigue. En ce qui concerne les patients qui sont trop fatigués ou affaiblis pour pouvoir pratiquer une activité physique pendant une période continue, j'ai remarqué que si l'on divise les séances de dix minutes en courtes périodes de deux minutes chacune, l'effet est tout aussi efficace pour réduire la fatigue que si le patient se force pour bouger pendant dix minutes sans s'arrêter.

Le tableau 1 présente les écarts entre les niveaux de fatigue des patients atteints de différents types de cancers traités en chimiothérapie et choisis au hasard pour pratiquer une activité physique, et ceux qui s'en tiennent aux soins habituels. Des exercices d'aérobie d'une intensité modérée ont un effet immédiat sur la fatigue. Le tableau 2 présente l'écart entre les niveaux de fatigue des femmes souffrant d'un cancer du sein qui ont pratiqué une activité physique pendant la radiothérapie et celles qui n'en ont pas pratiqué. Bien que le niveau de

Tableau 1

Écarts entre les niveaux de fatigue
des patients pratiquant une activité physique
et ceux qui reçoivent les soins habituels.

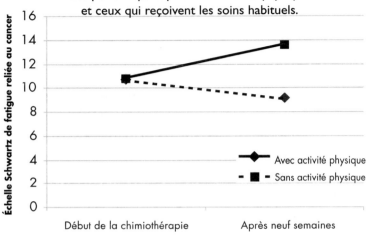

Tableau 2

Écarts entre les niveaux de fatigue des patients sous
radiothérapie (RT) pratiquant une activité physique
et ceux qui reçoivent les soins habituels

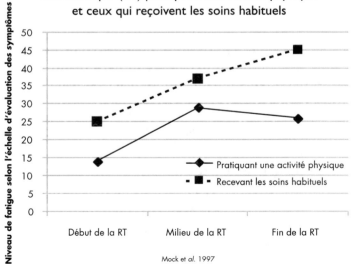

Mock et al. 1997

fatigue des patients qui pratiquent une activité physique n'ait pas diminué avant qu'ils n'aient complété la moitié des traitements, il était nettement moins important à la fin de la radiothérapie. Je suppose que le délai avant que la fatigue ne commence à diminuer s'explique par la faible intensité du programme d'exercices effectué dans le cadre de cette étude. La pratique d'exercices s'apparente à la prise de médicaments : il est possible que les patients faisant l'objet d'un programme d'exercices de faible intensité atteignent la dose thérapeutique d'exercices suffisante pour diminuer la fatigue seulement lorsqu'ils ont complété la moitié de la radiothérapie.

Lorsqu'on interroge les patients sur leur niveau de fatigue le plus élevé, ceux qui pratiquent régulièrement une activité physique indiquent que leur fatigue est de moins en moins élevée, jour après jour, semaine après semaine. Ces mêmes patients signalent également une diminution de leur fatigue moyenne quotidienne, fatigue qui affecte la capacité à mener à bien des activités courantes. Les patients qui pratiquent une activité physique nous mentionnent également que le meilleur moment pour faire de l'exercice est lorsqu'ils se sentent le plus mal. Il est difficile d'expliquer cette idée, qui va à l'encontre de notre intuition première, à une personne qui est trop fatiguée pour bouger, pour travailler ou pour mener à bien toute autre tâche importante pour elle, mais j'ai moi-même vu des patients rentrer chez eux, faire quelques exercices de base, et revenir me voir quelques semaines plus tard non seulement moins fatigués mais avec en outre une perspective de la vie plus positive.

UNE PATIENTE SE CONVERTIT
À L'EXERCICE PHYSIQUE

Judith était une femme de 60 ans atteinte d'un cancer du sein en phase 2. Son traitement comprenait une opération chirurgicale, de la chimiothérapie et de la radiothérapie. Judith n'était pas sportive avant son diagnostic du cancer. En réalité, elle était déterminée à éviter la pratique d'une activité physique. Elle n'aimait pas la sensation que lui procurait ce genre d'activité et elle ne pouvait pas imaginer faire de l'exercice après avoir subi une opération ou pendant le traitement éprouvant qui suivait l'opération. Un après-midi, j'ai rencontré son plus jeune fils, Josh, à la clinique. Il m'a fait part de ses inquiétudes au sujet du cancer de sa mère, de ses forces qui diminuaient, et il a fini par me dire : « Je veux que ma mère puisse assister à mon mariage au mois de juin. » Nous avons alors parlé des bienfaits du sport et Josh doutait fortement que sa mère puisse sortir de son style de vie sédentaire. À sa grande surprise, elle accepta d'essayer un programme d'exercices si ceux-ci n'empiraient pas son état. Judith a alors entamé un programme graduel d'exercices d'aérobie et, huit semaines après, elle me disait : « Après avoir fait de l'exercice, je me sens fatiguée physiquement, mais c'est une bonne fatigue et non la fatigue habituelle du cancer, qui est écrasante et s'attaque au corps tout entier. » Elle a continué à faire du sport tout au long de son traitement et depuis la fin de son traitement, elle pratique régulièrement une activité physique. L'exercice a pris une place importante dans sa vie quotidienne et elle a même organisé un groupe de marche et invite régulièrement des femmes ayant récemment appris qu'elles souffraient d'un cancer du sein à se joindre à elle. Judith est devenue une source d'inspiration et un modèle pour de nombreux patients qui doivent relever le défi du traitement et qui veulent se sentir au meilleur de leur forme.

LE MYTHE DU REPOS

Au moment du diagnostic, il est rare que l'on conseille aux patients d'entamer un programme d'exercices. Habituellement, les mots d'ordre des médecins et des amis bien intentionnés sont « repose-toi » et « prends soin de toi ». Pour la plupart des gens, cela signifie dormir davantage et être le plus inactif possible pour protéger ce corps dans lequel ils se sentaient bien jusqu'à maintenant mais qui aujourd'hui les a laissé tomber. La recherche démontre non seulement les bienfaits de l'exercice physique mais aussi les effets néfastes du repos. La nécessité d'être inactif et de se reposer relève du mythe pur !

Les patients qui s'en tiennent scrupuleusement au mythe du repos s'affaiblissent rapidement. Ce que vous pouvez accomplir physiquement dépend du type de traitement que vous recevez, mais en moyenne, les patients qui restent inactifs perdent 5 % de leur capacité fonctionnelle pendant les sept semaines de radiothérapie, 16 % pendant la chimiothérapie et 19 % pendant une chimiothérapie à forte dose effectuée après une transplantation de moelle osseuse, habituellement sur une période de trois à quatre semaines. Lors de mes recherches, j'ai pu observer que certains patients perdaient jusqu'à 35 % de leur capacité physique, ce qui signifie que lorsque votre capacité physique diminue, de simples activités courantes comme monter les escaliers, faire les courses ou marcher jusqu'à la voiture deviennent de plus en plus difficiles et vous vous sentez plus rapidement fatigué. La diminution de la capacité physique a des effets négatifs sur les fonctions émotionnelles et sociales et entraîne d'autres problèmes physiques sérieux, comme l'atrophie musculaire, la perte osseuse et la diminution des fonctions cardiaque et respiratoire.

Être en forme peut ne pas sembler très important lorsque vous êtes confronté au cancer et à son traitement, mais c'est pourtant essentiel si vous voulez bien vivre pendant et après le traitement. En conservant ou en améliorant votre condition physique pendant le traitement du cancer, vous pouvez améliorer votre qualité de vie, réduire la quantité et l'intensité des effets secondaires et contribuer à votre rétablissement général. Les patients qui ont plus de force sont en mesure de mener à bien un plus grand nombre d'activités en ressentant moins de fatigue. Si vous vous affaiblissez pendant votre traitement, il deviendra beaucoup plus difficile d'accomplir de simples activités comme vous habiller, aller au travail ou à l'école, et avoir une vie sociale.

La science a démontré qu'il existait d'autres bienfaits physiques à la pratique du sport. L'exercice physique n'est pas la panacée pour contrer tous les effets secondaires que vous pouvez subir, mais c'est un outil efficace que vous pouvez utiliser pour améliorer votre santé physique et émotionnelle.

Luke était un homme de 77 ans atteint d'un lymphome récidivant. Lors du premier traitement pour son lymphome, deux ans plus tôt, il avait subi une chimiothérapie et une radiothérapie et s'était fait un devoir de se reposer comme le lui avait conseillé son médecin. À ce sujet, Luke m'a dit : « Je me suis tellement reposé que j'avais à peine la force de sortir de mon lit. J'avais la sensation d'être très vieux et je me déplaçais péniblement. Je devais m'asseoir après avoir fait quelques pas pour reprendre mon souffle et rassembler mon énergie. Ça m'a pris plus d'un an avant de retrouver mes forces. » Lorsqu'il s'est retrouvé confronté à la nécessité de recevoir des traitements supplémentaires lors de la récidive de sa maladie, Luke a voulu tenter une autre approche. Il s'est inscrit à un des programmes d'exercices et a appris à déterminer l'équilibre fondamental entre le repos et l'exercice physique. À la fin de son traitement, Luke m'a dit : « Alors que je me trouvais dans les profondeurs du cancer, j'ai été très surpris que l'on me propose de participer à un programme d'exercices. Je ne ressentais plus la fatigue et la faiblesse terribles que j'avais connues au cours de mes premiers traitements. En fait, j'ai été en mesure de continuer à faire la plupart de mes activités comme aller à l'église, rendre visite à ma famille et jouer au poker avec mes vieux copains. L'exercice physique m'est apparu comme une lueur d'espoir. »

CAPACITÉ FONCTIONNELLE

J'avais peur de m'affaiblir au point de ne plus pouvoir travailler, mais la pratique d'une activité physique m'a maintenue suffisamment en forme pour manipuler une vache afin de l'examiner.

– Une vétérinaire pour gros animaux de 42 ans atteinte d'un mélanome malin en phase 3.

La plupart des professionnels de la santé ne s'attendent pas à ce que leurs patients soient plus en forme et plus alertes pendant leur traitement du cancer. Les études portant sur l'exercice physique menées auprès de patients recevant une chimiothérapie ou une radiothérapie ont toutes démontré que les patients pouvaient améliorer leur condition physique même en pratiquant un minimum de sport. Le test consistant à faire marcher ou courir une personne pendant douze minutes révèle la distance que cette personne peut parcourir dans ce laps de temps. Il vise à déterminer l'évolution de la capacité fonctionnelle et révèle l'état des fonctions cardiaque et respiratoire. Les patients ayant une capacité fonctionnelle élevée peuvent parcourir une plus longue distance lors de leur marche ou de leur course de douze minutes, ce qui signifie qu'ils sont en mesure de mener à bien davantage d'activités en faisant moins d'efforts puisqu'ils ont une meilleure condition physique. Les activités quotidiennes, comme faire les courses et entretenir la maison, ne prendront pas toute votre énergie si vous êtes en forme. Si vous améliorez votre condition physique, vous pourrez effectuer vos tâches tout en ayant encore de l'énergie pour les activités qui vous tiennent à cœur.

Le tableau 3 présente l'incidence d'un programme d'exercices d'intensité modérée à effectuer à la maison sur la capacité fonctionnelle de femmes qui ont récemment été diagnostiquées avec un cancer du sein et qui reçoivent une chimiothé-

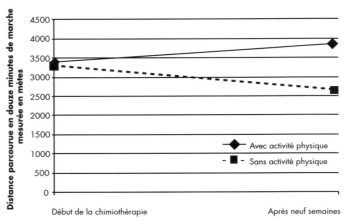

Tableau 3

Évolution de la capacité fonctionnelle
sur une période de neuf semaines

rapie. À la fin des neuf semaines, les 68 femmes qui partici-
paient à cette étude et qui pratiquaient une activité physique
étaient en mesure de parcourir environ 15 % de plus sur la
distance, au cours de leur marche ou de leur course. À l'inverse, les patientes recevant les soins habituels, et qui se sont
donc reposées pour la plupart, n'ont pas réussi à parcourir la
même distance et ont perdu en moyenne 23 % de leur capacité
fonctionnelle. D'autres études menées auprès de patients
recevant des traitements de chimiothérapie, de radiothérapie,
d'immunothérapie ou une transplantation de moelle osseuse
ont révélé une augmentation de la capacité fonctionnelle
allant de 4 %, dans le cas d'un programme de marche de faible
intensité, à 40 % dans le cas d'un programme d'entraînement
par intervalles de haute intensité.

Tableau 4

Écarts entre la capacité fonctionnelle des patients ayant pratiqué
des exercices d'aérobie, de ceux ayant pratiqué des exercices
de résistance et de ceux ayant reçu les soins habituels

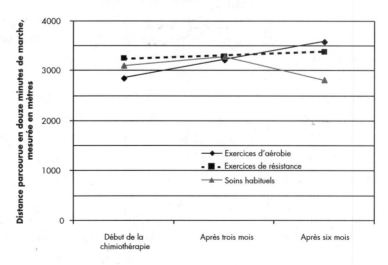

Le tableau 4 présente les résultats d'une étude consistant à attribuer à des patients choisis au hasard un programme d'exercices d'aérobie, un programme d'exercices de résistance ou les soins habituels, et à suivre ces patients pendant six mois à partir du début de la chimiothérapie. Les personnes ayant participé à cette étude, âgées entre 20 et 78 ans, recevaient une thérapie incluant des stéroïdes et une chimiothérapie pour traiter différents types de cancer. Bien qu'après six mois les deux groupes de patients pratiquant un exercice physique se soient révélés en meilleure forme que ceux de l'autre groupe, les patients qui s'étaient joints au programme d'exercices d'aérobie avaient considérablement amélioré leur capacité fonctionnelle, soit environ 16 % en moyenne, comparativement à ceux du groupe ayant effectué des exercices de résistance, lesquels ont amélioré leur capacité fonctionnelle d'environ 4 %, et à ceux du groupe ayant reçu les soins habituels, lesquels ont vu leur capacité fonctionnelle diminuer d'environ 10 %.

POIDS CORPOREL

Au début d'une chimiothérapie, les patients ne s'attendent pas à prendre du poids. Pourtant, il est très courant de voir des patients prendre régulièrement du poids pendant et après leur chimiothérapie. L'exercice physique permet d'éviter cet effet secondaire frustrant. Le tableau 5 présente la prise de poids régulière expérimentée par des femmes atteintes d'un cancer du sein et n'ayant pas pratiqué d'exercice physique, comparativement à des femmes ayant suivi un programme d'exercices d'aérobie d'intensité moyenne à pratiquer à la maison. Même si les patientes ayant reçu les soins habituels avaient un poids supérieur aux autres au début de la chimiothérapie, elles ont régulièrement pris du poids au cours des quatre cycles de traitement. Il est possible que ces femmes aient été moins attirées par le sport en raison de leur poids. À l'inverse, les patientes pratiquant un exercice physique ont réussi à garder le même poids. J'ai pu remarquer cette tendance de maintien du poids chez les personnes pratiquant un sport, peu importe le type de cancer ou de traitement. Des activités physiques aussi simples que de se rendre à la boîte aux lettres ou de marcher dans votre quartier peuvent aider à rehausser suffisamment le métabolisme pour éviter une prise de poids.

Je pensais que le seul avantage de la chimiothérapie serait de m'aider à retrouver ma ligne, mais j'ai pris plus de quatre kilos.

— Une femme de 34 ans atteinte d'un cancer du sein en phase 3.

Tableau 5

Écarts de poids entre des patientes qui pratiquent une activité physique et celles qui ne pratiquent pas d'activité physique

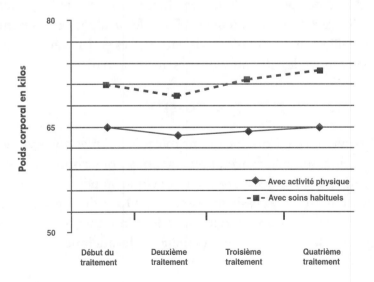

La prise de poids peut être décourageante et déprimante, et la science a démontré que le poids que prennent les femmes atteintes d'un cancer du sein pendant leur chimiothérapie est difficile à perdre et accroît les risques de récidive et l'apparition d'un deuxième cancer du sein. Être obèse ou en surpoids augmente les risques de tout survivant au cancer d'être atteint d'autres maladies graves comme le diabète, la cardiopathie, la l'hypertension artérielle et les maladies touchant les os et les articulations. L'exercice physique contribue non seulement à éviter la prise de poids, mais il est également étroitement lié au contrôle de la glycémie et à la réduction du risque de cardiopathie.

Une perte de poids a été observée dans le cas de certains traitements du cancer, comme le traitement à l'interféron alpha. À ma grande surprise, les patients de mon étude qui avaient reçu des traitements occasionnant souvent une perte de poids et qui avaient accompagné ces traitements d'activité physique n'ont pas perdu plus de poids que ceux qui n'ont pas pratiqué de sport. En fait, les patients qui font de l'exercice tout en recevant un traitement à l'interféron alpha ont souvent un meilleur appétit et moins de nausée. Ces patients éprouvent donc moins de difficultés que les autres à manger.

SANTÉ OSSEUSE

Lorsque nous faisons face à une maladie qui met notre vie en danger, comme le cancer, nous ne nous préoccupons pas de savoir ce qui va nous arriver dans quelques années. Nous nous préoccupons de réussir à passer la nuit ou de supporter la prochaine injection du traitement de chimiothérapie, et nous tentons de négocier pour bénéficier de quelques mois ou années supplémentaires. Les oncologues traitent les patients pour soigner leur maladie mais pensent souvent très peu aux effets secondaires qu'un patient peut encore subir après de nombreuses années. Les médecins sont maintenant plus conscients du fait que certains protocoles de chimiothérapie utilisés pour soigner certains cancers, comme le cancer du sein ou le lymphome, entraînent une perte considérable de densité osseuse. Ces pertes touchent les hommes et les femmes de tous les âges, mais sont plus importantes dans le cas de femmes qui étaient en préménopause lorsqu'elles ont débuté la chimiothérapie et qui se sont retrouvées en ménopause prématurée à cause du traitement. L'effet cumulé de certains médicaments, de l'inactivité et, pour les plus jeunes femmes, de la ménopause prématurée, entraîne un amincissement des os connu sous le nom d'ostéopénie. Chez certains patients, la perte osseuse est tellement importante que les os deviennent poreux et qu'une ostéoporose est diagnostiquée. Cependant, l'ostéopénie et l'ostéoporose évoluent de façon invisible. Leurs symptômes n'apparaissent qu'au moment où la perte osseuse est devenue considérable et où le risque de fracture est élevé.

La bonne nouvelle est que l'exercice physique semble réduire une partie de la perte osseuse qui survient lors du traitement. Des études démontrent que les patients traités avec de la doxorubicine (Adriamycine, Adriblastine), du métotrexate et des stéroïdes comme le Décadron et la prednisone, perdent entre 5 et 8 % de la densité osseuse de leurs vertèbres lombaires pendant la première année suivant le traitement. L'étude que je mène actuellement indique que les patients qui se reposent et suivent les conseils de soins habituels de leur équipe soignante perdent pratiquement 8 % de densité osseuse. À l'inverse, les patients qui suivent un programme d'exercices d'aérobie souffrent beaucoup moins de perte osseuse (environ 2 %).

L'exercice physique semble donc jouer un rôle important dans la réduction de la perte osseuse au cours des six premiers mois de chimiothérapie.

Le tableau 6 présente les écarts de perte osseuse entre les patients ayant pratiqué des exercices d'aérobie, ceux ayant pratiqué des exercices de résistance et ceux ayant reçu les soins habituels. Les patients ayant pratiqué des exercices d'aérobie perdent beaucoup moins de masse osseuse (-1,8 %) que ceux ayant pratiqué les exercices de résistance (-4,9 %) ou que ceux ayant reçu les soins habituels (-6,2 %). Bien que les groupes ayant pratiqué un exercice physique ait perdu de la masse osseuse, une comparaison par sexe nous permet de constater que les baisses de densité osseuse touchent davantage les femmes en préménopause mais sont également importantes chez les hommes et chez les femmes postménopausées. Les exercices de port de poids, comme la marche et la course, et les exercices qui consistent à exercer une certaine pression sur les os, comme les exercices de résistance ou le levé de poids, stimulent la croissance des os et équilibrent une partie de la perte osseuse causée par le traitement. Les patients qui ont suivi le programme d'exercices d'aérobie ont subi une perte osseuse moins importante que les patients ayant suivi un programme d'exercices de résistance, probablement parce que ces derniers ont été mis au point pour accroître la force musculaire d'une manière générale et peuvent ne pas avoir suffisamment sollicité le squelette pour préserver la densité osseuse.

Tableau 6

Évolution de la densité osseuse entre les groupes pratiquant des exercices d'aérobie, ceux pratiquant des exercices de résistance et ceux qui reçoivent les soins habituels.

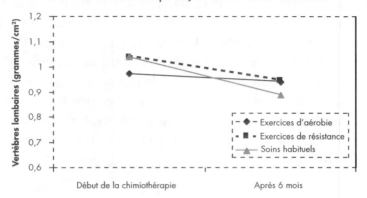

ANXIÉTÉ ET DÉPRESSION

L'anxiété et la dépression accompagnent souvent le traitement du cancer. Des études ont démontré que l'exercice physique pouvait réduire la dépression et l'anxiété légères et modérées chez des personnes en bonne santé. Les médecins prescrivent souvent la pratique régulière d'une activité physique modérée à leurs patients souffrant d'anxiété ou de dépression. L'exercice physique semble avoir le même effet sur les patients atteints d'un cancer. Des études indiquent que l'anxiété et la dépression sont plus élevées pendant la chimiothérapie chez les patients qui ne font pas d'exercice mais qu'elles diminuent lorsque les patients pratiquent une activité physique pendant leur traitement. L'activité physique peut aider les patients à être plus positifs et à mieux contrôler leur santé.

Sally était une femme divorcée, âgée de 50 ans et atteinte d'un cancer du côlon en phase 2. Elle avait subi une chirurgie et recevait une chimiothérapie de longue haleine qui la laissait épuisée, affaiblie et sans intérêt pour ce que la vie pouvait lui offrir. Elle m'a dit à ce sujet : « J'avais la sensation que ma vie se refermait sur moi. Je ne voulais pas sortir, voir mes amis ou faire autre chose. Puis, ma voisine et amie m'a emmenée avec elle faire une promenade, et le résultat a été surprenant. L'effet sur mon humeur a été évident. C'était un peu comme si je sortais de ma coquille et je voyais le ciel bleu et l'herbe d'un vert scintillant pour la première fois. Les piaillements des oiseaux étaient exquis. Je me sens maintenant mieux et mon sommeil est meilleur. Ma voisine passe me prendre pratiquement tous les jours et nous allons marcher ensemble. »

SOMMEIL DIFFICILE

Lorsque nous souffrons d'une grande anxiété et que l'incertitude plane sur nous, il peut être difficile de trouver le sommeil. Il arrive que les médicaments qui sont prescrits pour limiter les nausées ou qui font partie de votre protocole causent de l'insomnie. Quelle qu'en soit la cause, le sommeil perturbé et l'insomnie sont des plaintes courantes au cours d'un traitement et ils rendent les patients plus fragiles nerveusement. Des recherches effectuées auprès de patients recevant différents types de traitements ont démontré que l'exercice contribuait à une amélioration du sommeil, ce qui peut s'expliquer par le fait que l'activité physique réduit l'anxiété et la dépression et qu'il est ainsi plus facile de s'endormir, ou peut-être est-ce simplement parce que nous avons besoin de plus d'activité physique pour être en mesure de nous reposer efficacement. Peu importe la raison, les patients qui pratiquent un exercice physique remarquent qu'ils éprouvent moins de difficulté à s'endormir et sont moins sujets à des insomnies.

CONFIANCE EN SOI

Même si la perte de vos cheveux peut être pénible, le fait de devoir supporter le regard et les commentaires déplacés de certaines personnes rend le traitement du cancer encore plus difficile et peut porter atteinte à l'estime de soi. De nombreux facteurs affectent la perception que nous avons de nous-mêmes, et certains des changements dus au traitement du cancer, comme l'alopécie (chute des cheveux), la mastectomie ou d'autres modifications chirurgicales, peuvent intensifier le sentiment de vulnérabilité. Le diagnostic du cancer peut vous faire remettre en question tous vos objectifs et vos aspirations, et vous pouvez vous demander s'ils sont raisonnables et même réalisables. Les études portant sur les effets de l'exercice physique régulier sur l'estime de soi des patients atteints du cancer démontrent que l'exercice physique améliore l'estime de soi, la confiance et l'attitude positive. L'activité physique permet aux patients d'être plus centrés, de se sentir moins « handicapés » et de prendre leur vie en main. D'un point de vue clinique, les patients qui pratiquent une activité physique me disent se sentir plus forts et mieux armés pour faire face aux difficultés et aux incertitudes qui entourent le cancer et son traitement.

Jacob était âgé de 19 ans lorsqu'on lui a diagnostiqué un cancer des testicules en phase 2. Le cancer des testicules a un taux de guérison élevé, mais un cancer à l'âge de 19 ans est toujours traumatisant. Les traitements que suivait Jacob et leurs effets secondaires l'empêchaient de jouer au football avec ses amis et d'assister aux cours du second semestre de son collège. Il était retourné vivre avec ses parents, ce qu'il détestait, et il se sentait déprimé et frustré par les changements que son corps subissait. Déterminé à sortir de chez lui et à retrouver un peu de son indépendance, il décida de s'inscrire à un programme d'exercices. Après avoir passé au moins deux mois allongé sur le sofa à regarder la télévision et à jouer à des jeux vidéo, Jacob était fermement décidé à se remettre en forme et a donc suivi le programme avec régularité, à raison de trois à quatre fois par semaine. Petit à petit, son corps a changé et il pouvait voir ses muscles se redéfinir. Jacob m'a dit à ce sujet : « J'ai pratiqué cette activité physique par petites étapes, mais j'en ai fait suffisamment pour améliorer ma musculature et pour m'aider à reprendre confiance en moi. »

IMAGE CORPORELLE

Le changement de l'image corporelle est une conséquence perturbante du traitement du cancer, que ce changement soit relié aux fluctuations du poids, à la chute des cheveux ou aux traces laissées par une opération chirurgicale. Toutefois, les patients qui pratiquent de l'exercice font part d'une insatisfaction moins grande par rapport à leur corps que ceux qui sont sédentaires, ce qui peut s'expliquer par le fait que les patients physiquement actifs prétendent que l'activité physique leur procure la sensation d'être « normaux » et « sains » et que cette sensation les aide à avoir une meilleure opinion de leur corps.

Il y a plusieurs années, lorsque je travaillais comme infirmière, une de mes patientes, nommée Marla, me disait que même si elle était guérie de sa leucémie et qu'elle en était très reconnaissante, ses cicatrices lui rappelaient chaque jour sa maladie et la façon dont sa vie avait été bouleversée. J'ai réalisé à ce moment à quel point ces cicatrices étaient traumatisantes pour elle, mais je ne savais pas comment l'aider. J'ai récemment eu l'occasion d'examiner le programme d'exercices avec Éric, un homme de 30 ans atteint d'un cancer du côlon. Tandis qu'il faisait ses exercices, il me lança : « Même si vous ne pouvez pas voir ma cicatrice, je sais qu'elle est là et ça me dérange. Elle me rappelle constamment ma maladie. L'activité physique m'aide à me sentir plus fort, à améliorer mon apparence et à sentir que je peux plaire à nouveau. » Le commentaire d'Éric m'a fait penser à Marla et j'aurais bien aimé savoir à cette époque tout ce que nous savons maintenant sur les bienfaits de l'exercice physique pour les patients atteints du cancer.

AUTRES BIENFAITS

La présence et l'intensité des effets secondaires ont des répercussions négatives sur notre qualité de vie. Des études ont démontré à plusieurs reprises que l'exercice soulage les nausées, améliore l'appétit, réduit la douleur et les diarrhées et peut même améliorer les fonctions cognitives. Certaines personnes affirment que les patients qui ont moins d'effets secondaires sont plus enclins à faire de l'exercice et que les effets de l'exercice ne sont pas réels, mais cet argument ne tient pas à la lumière de toutes les études qui ont été effectuées par différents chercheurs auprès de patients partout dans le monde.

Les patients qui pratiquent une activité physique pendant qu'ils subissent une transplantation de moelle osseuse sortent de l'hôpital plus rapidement. Nous n'en connaissons pas la raison, mais les globules blancs de ces patients se régénèrent plus vite et ils ont besoin de moins de transfusions de globules rouges, ce qui signifie qu'ils courent moins de risques d'attraper des infections et sont par conséquent suffisamment en forme pour sortir plus rapidement de l'hôpital. Bien qu'aucune étude n'ait examiné quelle incidence pouvaient avoir sur le coût des soins de santé la diminution du nombre de transfusions et d'infections, ainsi que la sortie anticipée de l'hôpital, il semble évident que l'exercice physique permette de faire des économies. Les patients qui font de l'exercice pendant et après une transplantation de moelle osseuse signalent également une baisse de la fatigue, une hausse d'énergie et une meilleure forme, ce qui signifie évidemment qu'ils ont été capables de reprendre une vie normale plus tôt que les patients qui n'ont pas fait d'exercice et qui souffrent des conséquences d'une inactivité prolongée : faiblesse musculaire, diminution des fonctions cardiaque et respiratoire, et réduction de l'énergie et de l'endurance. Malheureusement, le corps a besoin de beaucoup de temps et d'efforts pour parvenir à combler ces pertes.

L'exercice physique est une activité que vous pouvez entreprendre rapidement et qui ne doit pas vous faire souffrir. Elle peut vous éviter certains des effets négatifs du traitement et du processus de vieillissement tout en vous permettant de vous sentir mieux immédiatement. Ce livre vous permettra d'élaborer un programme d'exercices adaptés à vos propres capacités et limites physiques, afin que vous puissiez aussi profiter des bienfaits de la pratique d'une activité physique, jouir au maximum de la vie, vous sentir en meilleure santé et accroître vos chances de survivre à long terme au cancer.

Lorsque vous penserez à ces résultats scientifiques, rappelez-vous que la recherche est dynamique ; actuellement, certaines études en cours viendront valider ces résultats et accroître notre compréhension de l'application de l'exercice physique au traitement du cancer. Nous vivons à une époque stimulante et nous devrions essayer de tirer profit de ces découvertes remarquables pour améliorer non seulement la durée, mais aussi la qualité de notre vie.

POINTS CLÉS

- Maintenir ou améliorer votre forme physique pendant le traitement du cancer peut vous procurer une meilleure qualité de vie, réduire le nombre et l'intensité des effets secondaires et contribuer à votre rétablissement général.
- L'exercice ne doit pas être difficile ou causer de l'inconfort.
- Pratiqué sur de courtes périodes espacées au cours de la journée, l'exercice peut diminuer les effets secondaires dus au traitement.
- Il peut être long de réparer les pertes de capacité fonctionnelle reliées à l'inactivité et au repos. Elles contribuent au maintien prolongé de la fatigue après la fin du traitement.
- La recherche se poursuit pour nous aider à comprendre les effets de l'exercice physique sur des patients en traitement et sur ceux qui ont survécu au cancer.

CHAPITRE 2

LES BASES DE L'ACTIVITÉ PHYSIQUE PENDANT LE TRAITEMENT

La période qui précède le traitement est souvent celle qui est la plus éprouvante, puisqu'elle est remplie de craintes et de peurs face à l'inconnu. Une fois le traitement entrepris, de nombreux patients se sentent mieux parce qu'ils commencent à savoir à quoi s'attendre et de quelle façon leur corps va réagir. Apprendre à gérer les effets secondaires du traitement peut être très difficile et prendre beaucoup de temps, mais vous aurez certainement un meilleur contrôle de votre vie lorsque vous serez en mesure de le faire. Chaque personne réagit différemment au traitement. Certains patients souffrent de plusieurs effets secondaires, d'autres n'en ont que très peu, et nous ne disposons malheureusement pas d'une boule de cristal nous permettant de savoir à l'avance quels patients seront le plus affectés. Les conseils fournis dans ce livre ont pour objectif de vous aider à vous sentir mieux et de vous permettre de bouger et de faire du sport plus facilement.

QUAND ET COMMENT COMMENCER?

Il n'y a rien de tel que le moment présent pour commencer à bouger. Surveillez le moment de la journée où vous vous sentez le mieux et faites-en votre période d'exercice. Respectez et préservez ce moment dédié à la pratique d'un exercice physique. J'ai remarqué que les gens étaient plus efficaces s'ils faisaient de l'exercice tôt le matin, mais il n'y a pas d'horaire miracle. Trouvez un moment qui vous convient. Vous pouvez prévoir 5 ou 30 minutes de sport, mais soyez réaliste par rapport à vos capacités. L'erreur la plus courante, et la plus décourageante, est de croire que vous pouvez faire plus que ce dont vous êtes réellement capable et de vous faire violence pour atteindre votre objectif. À l'heure actuelle, vous devez commencer largement en deçà de vos attentes personnelles. L'objectif est de vous sentir bien pendant et après l'activité physique et de ne ressentir aucun inconfort. C'est le seul moyen de vous mettre en forme de façon agréable et de voir des résultats positifs.

Si vous n'avez jamais été particulièrement porté vers le sport, commencez avec la marche, même si vous devez vous contenter de faire le tour de votre chambre d'hôpital pendant trois minutes, puis augmentez graduellement la distance et allez jusqu'au couloir en répétant cet exercice plusieurs fois par jour. Avec le temps, vous parviendrez à marcher pendant 5 minutes trois fois par jour, puis dix minutes à la fois. Si votre respiration ressemble au bruit d'une machine à vapeur, cela signifie que vous forcez trop! Respirez par le nez et la bouche et sentez que vous avancez à un rythme confortable. Lorsque vous serez plus en forme et habitué à l'activité, vous serez en mesure d'aller un peu plus vite et de tenir plus longtemps, mais lorsque vous débutez et que vous vous sentez encore faible, allez-y doucement. Soyez patient avec votre corps.

Pratiquiez-vous régulièrement une activité physique avant votre diagnostic du cancer ? Si c'est le cas, vous devrez ralentir le rythme. Je recommande de diminuer de 50 % la durée et l'intensité de vos exercices actuels par rapport à ceux que vous pratiquiez auparavant. Cela peut sembler beaucoup, mais votre corps traverse une grande épreuve et il est important de ne pas surmener votre système. Commencez doucement et augmentez graduellement la durée et l'intensité de votre programme d'exercices lorsque vous verrez comment votre corps réagit au traitement. Vous ne ferez pas d'exercices de la même intensité que ceux que vous pratiquiez avant votre diagnostic, mais vous pourrez certainement faire un match de tennis ou participer à votre activité préférée. Votre objectif devrait être de vous maintenir en meilleure forme possible pendant le traitement. Ne passez pas trop de temps sur votre divan.

L'EXERCICE PHYSIQUE
APRÈS UNE OPÉRATION CHIRURGICALE

Habituellement, il est possible de se remettre assez rapidement en mouvement après une opération chirurgicale. Il faut entreprendre la pratique d'un exercice après une opération lentement et en douceur, en augmentant graduellement l'intensité, laquelle sera principalement déterminée par la rapidité avec laquelle votre plaie chirurgicale se cicatrisera. Le type et l'intensité de l'exercice physique que vous pratiquerez après une opération dépendent également de la façon dont votre corps se remet de l'intervention et de l'anesthésie.

Pratiquer une activité physique après une opération chirurgicale peut contribuer à éviter certains des effets secondaires potentiels de la chirurgie, comme la pneumonie et l'atrophie musculaire. L'exercice contribue à la bonne circulation de l'air dans les poumons et à la réduction des risques de pneumonie, tout en entretenant vos muscles.

Si vous avez subi une opération chirurgicale abdominale importante, il vous faudra peut-être attendre un peu plus longtemps avant de commencer la pratique d'exercices que si vous avez subi une mastectomie ou que si on vous a retiré une tumeur importante associée à un mélanome. Les mêmes principes s'appliquent, mais vous devez toutefois commencer doucement et écouter votre corps. Si votre douleur augmente pendant ou après l'activité, ralentissez ou arrêtez-vous. Juste après l'opération, il est important de travailler à l'extension et à l'échauffement de la zone touchée, mais vous devrez obtenir l'approbation de votre médecin avant de pouvoir commencer un programme d'exercices. La plupart des chirurgiens encouragent leurs patients à faire travailler leur corps afin qu'il retrouve toute sa mobilité, mais en fonction du type d'opération que vous avez subie, vous devrez peut-être attendre un moment avant que la plaie chirurgicale ne soit prête à supporter des exercices physiques plus vigoureux. Il faut parfois attendre plusieurs mois avant que la plaie chirurgicale cicatrise et que la zone touchée récupère toutes ses forces. Même si une plaie semble être totalement cicatrisée, le collagène de la peau (la structure de protéines qui assurent le maintien de la peau) continue à créer des liaisons transversales qui augmentent la résistance de la peau de la zone concernée. Attendez que votre chirurgien vous donne le feu vert pour commencer à faire de l'exercice. Le but est d'améliorer votre santé et non d'empirer les choses en causant une réouverture de la plaie ou un autre problème, comme une infection. Si vous avez la sensation que votre médecin est réticent à l'idée de vous voir pratiquer une activité physique, demandez-lui pourquoi et réclamez un physiothérapeute ou un kinésithérapeute qui vous aidera à retrouver force et souplesse.

PRATIQUE D'EXERCICES PHYSIQUES PENDANT LA CHIMIOTHÉRAPIE, L'IMMUNOTHÉRAPIE ET LA RADIOTHÉRAPIE

La chimiothérapie, l'immunothérapie et la radiothérapie sont des traitements visant à soigner ou à contrôler le cancer en éliminant les cellules cancéreuses ou en ralentissant leur croissance, ou encore à surveiller une tumeur afin de l'empêcher de grossir davantage. Les produits utilisés pour la chimiothérapie et pour l'immunothérapie ne sont pas tous les mêmes. Certains peuvent être injectés par voie intraveineuse alors que d'autres peuvent être pris par voie orale. Quelle que soit la voie d'administration, les produits circulent dans le sang et tuent les cellules cancéreuses. Malheureusement, peu de médicaments ciblent uniquement les cellules cancéreuses. La plupart des traitements par chimiothérapie et par immunothérapie ont un spectre plus large et tuent les cellules cancéreuses mais aussi des cellules à renouvellement rapide comme celles que l'on trouve dans les follicules des cheveux et sur les parois de la bouche et des intestins, ce qui explique la chute des cheveux (alopécie) et les inflammations de la bouche (stomatites) qui sont des effets secondaires si fréquents.

Tous les traitements du cancer peuvent causer des effets secondaires déplaisants. Avant de commencer à pratiquer une activité physique, vos douleurs et vos nausées doivent être sous contrôle, ce qui veut dire que vous ne devez pas laisser la douleur prendre trop de place ou vous laisser contrôler par vos nausées. Comment faire ? Prenez vos analgésiques et vos antinauséeux régulièrement, et inspirez-vous des conseils figurant au chapitre 3.

Le fait d'intervenir rapidement et de prévenir les effets secondaires vous aidera à vous sentir mieux et vous permettra de commencer à intégrer l'exercice physique à votre vie et à votre programme de traitement du cancer. Si les médicaments qui vous ont été prescrits ne contrôlent pas vos effets secondaires, parlez-en à votre médecin et demandez quels autres médicaments pourraient vous être administrés. N'attendez pas votre prochain rendez-vous pour en parler ! Appelez votre infirmière et expliquez-lui ce que vous ressentez. Votre médecin et votre infirmière sont les meilleures sources d'information fiable. Ils devraient être en mesure de vous fournir des conseils éclairés et de vous proposer des solutions non pharmacologiques ou de vous prescrire un nouveau médicament ou une combinaison différente de médicaments. Vous n'avez aucune raison d'avoir à supporter ces effets secondaires. Si votre programme de gestion des effets secondaires n'est pas efficace, envisagez d'autres possibilités. J'ai remarqué que de nombreux patients avaient peur de dire à leur médecin que leur traitement pour atténuer les nausées n'était pas très efficace ou qu'ils continuaient à souffrir. N'essayez pas de complimenter votre équipe de soins de santé en affirmant que tout va bien ou en vous comportant comme si tout était sous contrôle. Il est important que vous sachiez qu'il existe maintenant des moyens efficaces pour limiter les effets secondaires et parfois plusieurs tentatives sont nécessaires avant de trouver le médicament ou la combinaison de médicaments qui vous convienne.

Nombre de mes patients trouvent que la pratique d'une activité physique avant la chimiothérapie, même s'il s'agit de leur première injection, les aide à se sentir moins angoissés et plus détendus. L'exercice réduit non seulement l'anxiété et l'appréhension avant le traitement, mais il contribue également à la bonne circulation sanguine, ce qui facilite l'installation par l'infirmière d'un cathéter intraveineux pour la prise de sang ou pour l'injection de la chimiothérapie.

Après quelques semaines de chimiothérapie, mes patients me disent souvent que le meilleur moment pour pratiquer une activité physique est lorsqu'ils se sentent le plus mal. Cela peut sembler contradictoire, mais j'ai reçu ce même témoignage de nombre de mes patients au cours des années. Je recommande habituellement aux patients de faire de l'exercice pendant ces moments de la journée où ils se sentent bien, mais parfois, lorsque vous êtes épuisé et que vos jambes sont aussi lourdes que du plomb, une petite marche jusqu'à la boîte aux lettres peut être précisément ce dont vous avez besoin pour réveiller votre corps et vous sentir mieux. Idéalement, vous serez en mesure de faire un peu d'exercice chaque jour, ou au moins à tous les deux jours. La pratique régulière d'une activité physique semble être la clé pour réduire non seulement la fatigue mais également de nombreux autres effets secondaires que les patients peuvent subir pendant le traitement.

FAIRE DE L'EXERCICE MALGRÉ LES LIMITES
IMPOSÉES PAR LE TRAITEMENT

Lymphœdème

Un lymphœdème est un gonflement du bras ou de la jambe à la suite d'une accumulation de liquide lymphatique dans les tissus. Habituellement, nous entendons parler de femmes atteintes d'un cancer du sein qui se retrouvent avec un lymphœdème ou un gonflement de la main ou du bras après une opération chirurgicale dans la région de l'aisselle. J'ai également rencontré d'autres patients souffrant du cancer et atteints de lymphœdème dans les jambes pour qui il était très douloureux et difficile de marcher ou de rester debout. Pendant des années, les médecins ont conseillé aux patientes ayant subi une intervention chirurgicale dans la région de l'aisselle, en raison d'un cancer du sein ou d'une autre maladie, d'éviter de soulever des articles lourds et de ne pas porter leur sac à main du côté qui a été opéré. Cette recommandation de prudence est formulée pour le bien-être des femmes, mais la pratique d'un exercice lent, régulier et méthodique peut renforcer le bras et permettre de l'utiliser plus normalement. En fait, aucune étude portant sur l'exercice physique n'a révélé que les patients faisant de l'exercice augmentaient leurs risques d'être atteints de lymphœdème. Le canot-dragon est devenu une activité sportive populaire et il est couramment pratiqué par les femmes qui ont survécu au cancer du sein pour collecter des fonds. Aucun des comptes rendus cliniques ou des études de recherche portant sur ces patientes n'a indiqué d'augmentation du nombre ou de la gravité de lymphœdèmes. Je crois même que les patients qui font de l'exercice sont moins exposés aux lymphœdèmes, peut-être parce que l'exercice

physique contribue à la bonne circulation du liquide lymphatique, ce qui peut éviter que certains membres ne gonflent.
Les études axées sur les exercices de résistance visant à renforcer les bras et les épaules n'ont pas révélé d'augmentation
du nombre ou de la gravité des lymphœdèmes. Toutefois, les
patients ayant fait l'objet de ces études ont tous commencé
leurs exercices en douceur et ont graduellement accru leur
endurance et leur force. Il est important de prendre ces précautions !

Si vous avez subi une intervention chirurgicale pour retirer
des ganglions lymphatiques de l'aisselle ou de l'aine, ou si vous
avez reçu des traitements de radiothérapie sur ces zones, je
vous recommande de mesurer votre jambe ou votre bras
affecté avant d'entamer votre programme d'exercices. Notez
la circonférence de votre membre à l'endroit le plus large et
mesurez-le à nouveau régulièrement. De cette façon, vous
pourrez déceler tout changement de taille, ce qui facilite le
traitement des lymphœdèmes. Une enflure ou une infection
peut également causer un lymphœdème, et il est donc important d'évaluer et de le traiter rapidement. Si le lymphœdème
n'est pas causé par une infection, des massages manuels, des
drainages lymphatiques et des vêtements de compression
pourront améliorer la situation. Demandez les conseils d'un
physiothérapeute ou d'un kinésithérapeute spécialisé dans le
domaine, ce qui pourra contribuer à en limiter la gravité à
long terme.

Neuropathie périphérique

La neuropathie périphérique se traduit par la perte ou l'altéra-
tion des sensations ressenties dans les extrémités. Habituellement,

le bout des doigts est la première région touchée et il arrive que la main ou le pied entier soit affecté. La plupart du temps, l'engourdissement disparaît graduellement après la fin du traitement, mais il arrive parfois qu'il y ait des changements de sensation à long terme. Il peut être décourageant d'avoir les mains et les pieds engourdis et cela peut rendre les activités courantes, comme le simple fait de marcher, très difficiles. Certains de mes patients se plaignent de casser plus souvent de la vaisselle parce qu'ils ne parviennent pas à la sentir entre leurs doigts ou d'avoir des difficultés à garder leur équilibre et à marcher. Si vos pieds sont engourdis, est-ce que cela modifie votre démarche ? Votre équilibre a-t-il été altéré ? Si vous sentez que vous avez moins d'équilibre, il serait peut-être prudent de choisir une activité qui limite les risques de chute. Vous pouvez par exemple faire du vélo stationnaire, nager, marcher avec un ami ou sur un tapis roulant, de façon à ce que vous puissiez vous tenir si vous sentez que vous perdez l'équilibre. En renforçant les principaux muscles de vos hanches, de votre dos, de votre abdomen et de vos jambes, vous réduirez les risques de tomber et de vous blesser.

Infection

Pendant la chimiothérapie et certains traitements d'immuno-thérapie, votre formule sanguine peut décroître au point de vous exposer à des infections. Il est important que vous évitiez les endroits très fréquentés comme les clubs de gym et les spas lorsque vos leucocytes sont au plus bas. De simples précautions comme le fait de vous laver régulièrement les mains et d'essayer de ne pas frotter vos yeux ou de toucher à votre visage peuvent contribuer à diminuer le risque d'infection. Si une personne tousse près de vous, reculez-vous et laissez-lui de l'espace. Les virus qui se déplacent dans l'air s'attrapent facilement et sont difficiles à éviter à moins de porter un masque. En outre, si vous portez un masque lors de la pratique d'une activité physique vous risquez d'avoir chaud et d'être inconfortable, et ce n'est certainement pas quelque chose que je conseillerais. Il est souvent recommandé aux patients qui viennent de subir une transplantation de moelle osseuse de porter un masque dans les endroits publics, mais ce n'est habituellement pas nécessaire pour les patients recevant d'autres formes de traitements du cancer.

Changements cutanés

Les traitements de radiothérapie peuvent entraîner de la fatigue, mais aussi une irritation de la peau, des démangeaisons, des rougeurs, des desquamations et des décolorations. En fonction de la zone ciblée par la radiothérapie, vous pourriez perdre vos cheveux ou souffrir de vomissements et de diarrhées. À moins que vous ne souffriez de vomissements ou de diarrhées incontrôlables, ces effets secondaires ne devraient pas limiter votre capacité à faire de l'exercice. Si votre peau se desquame et qu'elle est irritée à certains endroits où vous pourriez transpirer, il serait préférable de pratiquer l'activité physique à une intensité qui ne provoque pas de transpiration, ce qui évitera des sensations de brûlure et atténuera l'inconfort. Le simple fait de recouvrir la zone concernée d'un tampon de gaze peut éviter les problèmes liés à la transpiration.

Étourdissements et déséquilibre

Il n'est pas rare que les patients se sentent étourdis et man-
quent d'équilibre lorsqu'ils sont debout. La plupart du temps,
ces sensations sont liées à une hydratation insuffisante ou une
mauvaise nutrition. À moins que vous n'ayez reçu comme
directive de réduire votre consommation de liquide, efforcez-
vous de rester bien hydraté. Vous pouvez boire des jus, des
boissons gazeuses ou d'autres breuvages, mais l'eau reste le
meilleur choix parce qu'elle ne contient pas de calories vides
ni de sucre qui pourrait être à l'origine de caries. Si vous vous
hydratez bien, vous vous sentirez mieux lorsque vous effec-
tuerez vos activités quotidiennes ou lorsque vous ferez de
l'exercice. Une bonne hydratation est également importante
pour vos reins qui éliminent une bonne partie de la chimiothérapie.

Quand avez-vous mangé pour la dernière fois ? Si vous ne
mangez pas suffisamment, vous pouvez ressentir des étourdissements et être affaibli. S'il vous ne réussissez pas à manger,
consommez des boissons hautement caloriques telles que
Ensure, Renutryl ou Fortimel auxquelles vous aurez rajouté
des glaçons et du lait ; vous pouvez également passer tous ces
ingrédients au robot pour obtenir un lait frappé. En ajoutant
des protéines en poudre au mélange, vous augmentez facilement et de façon presque imperceptible votre apport calorique. Boire et manger sont les deux actes les plus simples que
vous puissiez faire pour vous-même et pour vous sentir plus
fort et en meilleure santé.

À QUEL MOMENT RALENTIR LE RYTHME
ET PRENDRE UNE JOURNÉE DE REPOS

À mesure que votre traitement progressera, plus particulièrement s'il s'agit de la chimiothérapie, qui est divisée en cycles allant de 21 à 28 jours, vous deviendrez plus conscient de votre niveau d'énergie, de votre fatigue et des effets secondaires. Votre programme d'exercices doit tenir compte des moments où vous pouvez vous sentir mal après votre traitement, ce qui se produit généralement pendant les deux ou trois jours suivant la chimiothérapie. Il est possible que ces jours-là vous ayez envie de vous reposer ou de vous contenter d'une activité peu exigeante.

Il est essentiel de savoir écouter son corps et ses émotions pour réussir un programme d'exercices. À certains moments, vous pouvez vous sentir angoissé, déprimé, isolé, seul, coupable, triste, et à d'autres moments, vous pouvez être envahi par la peur. Toutes ces émotions sont des réactions normales à la menace que représente le cancer pour votre vie. Le stress occasionné par le diagnostic et par le traitement peut causer de la fatigue. Lorsque vous vous sentez trop fatigué pour faire de l'exercice, il est important que vous sachiez si cette fatigue est réelle ou si elle provient du flot d'émotions que vous ne parvenez pas à contrôler. L'activité physique contribue souvent à soulager la souffrance émotionnelle et le stress en général. Ainsi, même si vous vous sentez trop fatigué pour bouger, il se peut que votre esprit et votre corps aient pourtant besoin d'une activité vivifiante.

Nous choisissons notre façon d'appréhender le monde et de réagir aux choses. Essayez d'adopter une perspective positive en pensant positivement. Vous ne devez pas pour autant ignorer les réalités inquiétantes qui font partie de votre vie, mais vous devez essayer de chercher et de reconnaître les aspects positifs. La pensée positive peut avoir une grande incidence sur votre sentiment de contrôle de la situation, sur votre sentiment de détresse et sur votre capacité à apprécier ce que la vie offre de bon.

FIXEZ-VOUS DES LIMITES

Apprenez à dire non! Protégez-vous de votre volonté de vouloir trop en faire ou de vouloir faire les choses trop tôt. Vous estimez peut-être que ces propos contredisent ma défense de l'exercice physique, mais vous devez déterminer si vous êtes prêt à accomplir des activités comme faire les courses ou le ménage. Entraînez-vous à dire à vos collègues de travail, à votre famille ou à vos amis « Non, je ne peux pas faire ça maintenant. » Si vous êtes quelqu'un de discret et préférez que vos collègues ne soient pas au courant de votre cancer, vous pouvez quand même leur dire non. Apprendre à dire non est difficile, mais c'est un outil essentiel à la survie au cancer.

Si le fait de vous rendre à l'épicerie requiert toute votre énergie, demandez à des amis de faire quelques courses pour vous lorsqu'ils sont au magasin ou confiez cette responsabilité à un membre de la famille. Faites une liste des tâches qui doivent être accomplies. Pensez ensuite aux personnes auxquelles vous pourriez assigner une ou plusieurs tâches. Lorsque vous recevez un traitement, toutes vos énergies doivent être concentrées sur vous-même afin que vous puissiez mieux vous sentir. Si le fait de sortir les poubelles implique que vous serez trop fatigué pour pouvoir effectuer votre exercice physique plus tard, il vous faudra demander à quelqu'un de le faire pour vous. Vous devrez évidemment reprendre vos activités habituelles à un moment donné, mais il est important de commencer par vous rétablir pour pouvoir être capable de faire de l'exercice et de retrouver une forme et des forces suffisantes pour mener à bien vos tâches quotidiennes.

Les limites que vous vous fixez, comme le fait de dire non, s'appliquent également à votre programme d'exercices. Si vous ne vous sentez pas bien, prenez un jour de repos ou pratiquez une activité physique plus légère. Si, après deux ou trois jours de repos, vous êtes toujours incapable de faire de l'exercice, vous pourriez avoir besoin de prendre du recul et de réfléchir aux options suivantes : 1) Êtes-vous retombé dans un scénario d'inactivité ? 2) Avez-vous d'autres problèmes de santé pour lesquels il serait préférable que vous contactiez votre équipe soignante ? 3) Avez-vous oublié votre engagement à faire de l'exercice une priorité et à suivre le programme En forme pour combattre le cancer pendant douze semaines ?

PRÉCAUTIONS RELATIVES À L'ACTIVITÉ PHYSIQUE

La plupart des médecins ne donnent pas de conseils particuliers à leurs patients concernant l'activité physique, mais cette absence de conseils n'a rien à voir avec votre sécurité. La plupart des médecins que je connais encouragent leurs patients à faire du sport, mais ils ne leur disent malheureusement pas comment ils doivent s'y prendre. À ce jour, aucune étude portant sur l'exercice physique menée auprès de patients et de survivants au cancer n'a été à l'origine de problèmes de santé chez les participants. Vous devez toutefois faire preuve d'intelligence relativement à vos habitudes d'exercice. Si vous prenez un nouvel analgésique qui provoque de la somnolence, évitez de participer à des activités comme le cyclisme ou à toute autre activité exigeant une coordination motrice jusqu'à ce que vous sachiez comment vous réagissez à ce médicament.

Il n'existe pas de directives convenues ou approuvées à grande échelle pour la pratique d'activités physiques pendant et après le traitement du cancer. Les directives suivantes se veulent des conseils généraux sur les contextes où il est nécessaire d'arrêter toute activité physique ou de sauter une séance :

- Votre température est supérieure à 38,5 °C.
- Vous êtes aux premiers stades d'une infection active.
- Vous souffrez d'une douleur ou de nausées incontrôlables.
- Vous vous sentez étourdi ou manquez d'équilibre lorsque vous êtes debout.
- Vous êtes trop essoufflé par rapport à l'effort que vous déployez.
- Vous ressentez une douleur dans la poitrine ou votre rythme cardiaque est irrégulier.
- Vos plaquettes sont inférieures à 50 000/mm^3.
- Vous souffrez d'une forte douleur osseuse ou articulaire.

Lorsque l'étude sur l'exercice physique et le cancer a débuté, il a été rapidement recommandé aux patients d'éviter l'activité physique lorsque leurs globules blancs, leurs plaquettes et leur hématocrite étaient à un niveau légèrement inférieur à la normale. Ces recommandations visaient à éviter que les patients ne subissent les effets potentiellement nuisibles de l'exercice, comme le risque de saigner ou d'être infectés, mais nous avons appris depuis que la pratique d'une activité physique malgré une numération globulaire faible ne représentait aucun risque si certaines précautions étaient prises. Les études portant sur les patients recevant une chimiothérapie, qu'il s'agisse de patients externes ou de patients subissant une transplantation de moelle osseuse, démontrent que tous les participants avaient une numération globulaire (globules blancs, plaquettes et globules rouges) peu élevée parce qu'ils recevaient une chimiothérapie ou une combinaison de chimiothérapie et de radiothérapie. Ces deux types de traitement peuvent réduire le nombre de globules circulant dans votre corps et peuvent occasionner de l'anémie (niveaux peu élevés d'hémoglobine et d'hématocrite), augmenter le risque d'infection lorsque les globules blancs sont peu élevés, et causer des saignements lorsque la numération des plaquettes est très faible. Rappelez-vous cependant qu'aucune des études portant sur l'exercice n'a démontré que ce dernier était à l'origine de saignements ou d'infections, et une étude portant sur des patients faisant l'objet d'une transplantation de moelle osseuse a d'ailleurs démontré que les patients qui faisaient de l'exercice avaient besoin de moins de transfusions sanguines, ce qui signifie qu'ils avaient moins de problèmes d'anémie. Curieusement, les patients pratiquant une activité physique pouvaient sortir de l'hôpital plus tôt. Ces conclusions sont certes surprenantes, mais il s'agit d'une étude de relativement faible envergure et les conclusions doivent être confirmées pour pouvoir confirmer les effets de l'exercice sur l'anémie et sur la durée du séjour à l'hôpital.

Même si nous savons que l'exercice est bien toléré pendant le traitement, vous devez prendre des précautions et faire preuve de bon sens lorsque vous entamez seul un programme d'exercices. Vous devez connaître votre formule sanguine et en faire un suivi. Ainsi, si votre numération des plaquettes est inférieure à 50 000 plaquettes/mm^3, il serait préférable que vous consultiez votre médecin pour discuter avec lui d'un programme d'exercices et que vous soyez très prudent lorsque vous pratiquez votre activité physique, en évitant celles qui risquent de vous faire tomber ou les sports de contact. Les plaquettes permettent de contrôler les saignements; par conséquent, si vous avez un accident alors que vous faites de l'exercice, vous courez le risque de saignements importants. Vous estimez peut-être que ce problème n'est pas très grave, mais si vous tombez de vélo ou de cheval et vous blessez à la tête, la situation peut être très sérieuse. Essayez de vous en tenir aux exercices moins dangereux comme le vélo stationnaire ou l'aviron.

Les problèmes reliés à l'anémie peuvent être corrigés par des médicaments, comme l'érythropoïétine (Procrit, Eprex), la darbepoïétine (Aranesp) ou une transfusion. Toutefois, si vous avez déjà des problèmes cardiaques ou pulmonaires, ou si vous avez plus de 65 ans, une anémie, même faible, peut aggraver d'autres problèmes de santé. Quel que soit votre âge, l'anémie rend le travail et la pratique d'exercices plus difficile parce que les globules rouges ne sont pas en nombres suffisants pour transporter l'oxygène dont votre corps a besoin pour travailler. Ainsi, ce qui la semaine dernière a pu vous sembler un léger entraînement physique peut vous apparaître aujourd'hui aussi difficile que l'ascension du mont Everest.

Lorsqu'on vous fait une prise de sang en laboratoire, assurez-vous de demander une copie des résultats et des taux considérés comme normaux par l'institution qui effectue vos tests sanguins. En effectuant un suivi de votre formule sanguine, vous serez en mesure de repérer une éventuelle modification. Votre équipe soignante doit collaborer avec vous pour remédier à votre anémie et éviter que le taux de globules blancs ne reste trop longtemps à un niveau insuffisant. À l'heure actuelle, la transfusion est la seule façon fiable de remédier à une numération plaquettaire basse, mais, heureusement, peu de gens doivent y avoir recours sur une base régulière à moins qu'ils ne reçoivent un traitement prolongé ou n'aient d'autres problèmes sanguins.

LE RETOUR DE SARAH À L'INDÉPENDANCE

Sarah avait 46 ans et était atteinte d'un cancer du sein avancé et souffrait de diabète. Même si elle avait réussi à supporter sa chimiothérapie, elle était très limitée dans ses activités en raison d'une neuropathie périphérique qui touchait ses pieds et ses mains. Elle était incapable de cuisiner parce qu'elle ne sentait pas si la poignée d'une marmite était chaude ou non et elle cassait de la vaisselle parce qu'elle lui glissait des mains sans qu'elle ne s'en rende compte. Marcher était pour elle excessivement douloureux et elle s'appuyait lourdement sur son déambulateur lorsqu'elle parcourait péniblement les 30 mètres séparant sa voiture de son bureau. Lorsqu'elle arrivait au bout de ces quelques mètres, Sarah était à bout de souffle, sa douleur avait empiré et elle était épuisée en raison de l'incroyable effort qu'elle venait de déployer.

Sarah était découragée de se voir dans cet état et désirait essayer n'importe quelle méthode pouvant l'aider à se sentir mieux. Elle commença alors à faire des exercices dans son lit, à l'aide des Thera-Bands (Rep Bands), une sorte de grosses bandes élastiques, en augmentant graduellement l'intensité des exercices. Étant donné qu'il lui était trop pénible de marcher, elle entama un programme d'exercices aquatiques. Avec le temps, Sarah a fini par se remettre en forme et elle n'était plus épuisée lorsqu'elle marchait de sa voiture à son bureau. Avec l'aide de ses médecins, elle est parvenue à trouver la bonne combinaison de médicaments pour soulager sa douleur, ce qui lui permit également de faire de l'exercice sans se sentir trop mal. Lorsque je rencontre Sarah maintenant, j'ai un peu l'impression de voir une autre femme. Elle est plus alerte, plus énergique et plus gaie. Elle affirme maintenant : « J'avais tellement mal que je voulais mourir. Je n'arrivais tout simplement pas à supporter de faire quoi que ce soit. Les exercices aquatiques et les exercices de résistance m'ont sauvé la vie. Pas seulement du point de vue physique, mais aussi du point de vue émotionnel. Maintenant, je peux être avec ma famille en étant véritablement présente, et non noyée dans ma douleur. Je retrouve ma vie. »

REMÈDE MIRACLE

Quelles que soient les personnes auxquelles je m'adresse, une question m'est souvent posée : « Que dois-je manger pour être en forme, ou ne pas être fatigué, ou avoir meilleure mine, ou [insérez votre vœu le plus cher]. » Malheureusement, il n'existe pas de remède miracle, mais si vous travaillez dur, si vous vous investissez et persévérez, cela entraînera éventuellement des changements positifs et vous pourrez réaliser vos objectifs. Une bonne alimentation est essentielle à la santé, elle con-tribue à prévenir de nombreuses maladies chroniques et vous permet d'atteindre un niveau sportif optimal. Bien que nous ne connaissions pas la cause de la plupart des cancers, nous commençons à comprendre qu'il existe un lien direct entre l'obésité, l'alimentation riche en matières grasses et faible en fibres, la consommation de tabac et d'alcool, et le développement de nombreux cancers. Cela signifie qu'une alimentation faible en matières grasses et riche en fruits et en légumes frais est importante au maintien et à l'amélioration de votre santé. Grâce à des recherches de plus en plus nombreuses, certains organismes comme le National Cancer Institute et l'American Cancer Society, ainsi que d'autres groupes de travail nationaux, ont réussi à élaborer des recommandations et des directives visant à prévenir le cancer. Plusieurs de celles-ci concernent la perte de poids et conseillent de limiter la consommation de matières grasses à moins de 30 % de votre apport calorique quotidien, de manger au moins cinq portions de fruits et légumes frais par jour, d'augmenter votre consommation d'aliments riches en fibres, et d'éviter l'alcool, la cigarette et les viandes saumurées ainsi que les produits contenant des nitrites.

À l'heure actuelle, les nutritionnistes ne connaissent pas suffisamment les bienfaits et les risques potentiels des produits et des suppléments à base d'herbes médicinales, comme le millepertuis, le cartilage de requin ou les vitamines, pour pouvoir formuler des recommandations précises. Par exemple, le millepertuis est recommandé pour soigner divers maux, dont l'insomnie, la dépression, les brûlures et pour aider à la cicatrisation des blessures, mais nous en savons peu sur ce supplément et sur la façon dont il interagit avec différents types de chimiothérapie. Malheureusement, nous ne savons pas quelle est la quantité ou la dose permettant d'obtenir des effets positifs. De plus, la fabrication des suppléments n'est pas suffisamment réglementée, ce qui implique que vous pourriez prendre un produit qui ne contient aucun ingrédient actif ou qui en contient beaucoup plus que ce qui est indiqué sur son étiquette. Cependant, la plus grande préoccupation concernant les suppléments est leur risque d'interaction avec la chimiothérapie et l'immunothérapie, et leur incidence sur le résultat thérapeutique (c'est-à-dire vos chances de survie), qui sont des informations dont nous ne disposons pas à l'heure actuelle.

Dans le cadre d'une récente étude effectuée auprès de patients atteints de cancers du poumon et du côlon, les chercheurs ont observé que le millepertuis augmentait le métabolisme de l'irinotécan (Camptosar, Campto), un produit utilisé en chimiothérapie, et qu'il diminuait d'environ 40 % la quantité de ce produit dans le corps du patient. Trois semaines après que le patient ait cessé de prendre du mille-pertuis, le métabolisme de l'irinotécan continuait à être affecté. Les altérations du métabolisme causées par le mille-pertuis pourraient avoir de graves conséquences sur l'efficacité du traitement et sur les chances de survie. Ceci n'est qu'un exemple de supplément étudié mais, de façon surprenante, peu de suppléments ont fait l'objet d'une étude rigoureuse, ce qui rend leur utilisation risquée pendant le traitement du cancer.

Malheureusement, il n'existe pas de moyen rapide ou magique de perdre du poids ou de transformer les aliments pour qu'ils permettent d'éviter ou de soigner le cancer. Avoir une alimentation saine exige de la discipline et du temps de préparation. Plusieurs de mes patients qui ont modifié leur alimentation typiquement américaine, à base de produits riches en matières grasses et de produits raffinés, pour adopter un régime faible en matières grasses incluant des produits frais et des aliments complets, m'ont dit que s'ils faisaient de l'exercice et modifiaient leur régime alimentaire, l'activité physique semblait les aider à maintenir leurs bonnes habitudes alimentaires. L'exercice physique et l'alimentation sont complémentaires. Si vous faites participer votre famille et vos amis à votre nouveau mode de vie, vous vous simplifierez la vie.

> Je n'ai jamais été sportive et j'ai toujours cherché les moyens les plus faciles de perdre du poids, comme s'il existait un remède miracle. Je comprends maintenant combien il est important d'être en forme physique pour être bien dans sa vie en général.
>
> — Toni, 56 ans, atteinte d'un cancer du côlon

RÉPONSES À DES QUESTIONS COURANTES

Les questions suivantes reviennent souvent concernant les exercices d'aérobie et de résistance.

Que dois-je porter ?

Ah, la fameuse question de mode que nous nous posons tous et que nous utilisons pour camoufler notre véritable préoccupation : de quoi vais-je avoir l'air ? Quelle que soit votre activité, à l'exception de la natation, portez des vêtements amples et agréables ainsi que des chaussures confortables avec une semelle amortissant les chocs. Les nouveaux tissus en matière synthétique laissent passer l'humidité. Si vous partez marcher, superposez vos vêtements en couches de façon à pouvoir réguler votre température corporelle. S'il fait chaud, apportez une bouteille d'eau.

Est-il préférable que je pratique des exercices d'aérobie ou de résistance ?

Lorsqu'il s'agit du traitement du cancer et de la gestion des symptômes, je ne suis pas convaincue que nous disposions de suffisamment de renseignements pour pouvoir affirmer qu'un type d'exercice est meilleur qu'un autre. Je pense que la réponse dépend de votre état physique et émotionnel. Si vous êtes alité, commencez par un programme d'exercices de résistance afin de faciliter les progrès d'un rétablissement à long terme et vous aider à vous remettre sur pied plus rapidement. Si vous avez passé votre temps sur le sofa, des exercices d'aérobie pourront vous être bénéfiques. Les exercices d'aérobie vous aideront à retrouver votre endurance de façon à vous procurer les forces et l'énergie nécessaires pour faire face à votre journée. Si vous avez le temps et décidez de prendre cet engagement, une combinaison d'exercices d'aérobie et de résistance peut vous procurer des résultats très satisfaisants. Les exercices de résistance vont rapidement remodeler et raffermir votre corps et les exercices d'aérobie vous procureront l'endurance dont vous avez besoin pour retrouver une vie normale.

J'ai essayé de faire de l'exercice, mais c'est douloureux et ça me décourage.

Vous y êtes probablement allé trop fort. Si vous passez de votre sofa ou simplement de vos activités quotidiennes à une activité physique pratiquée plusieurs fois par semaine, ce sera douloureux. Je ne vous conseille pas de commencer la pratique d'exercices physiques de façon aussi intense. Commencez doucement. Fixez-vous des objectifs raisonnables et réalisables, et élaborez un programme. Notez vos exercices physiques dans un carnet afin de comprendre pourquoi il peut vous arriver de ressentir une certaine douleur ; peut-être avez-vous augmenté la durée ou l'intensité de vos exercices ou effectué plus d'exercices de résistance. Si vous commencez un programme raisonnable et à progression graduelle, je m'attends à ce que ce soit une réussite.

Si je fais des exercices de résistance, comme par exemple soulever des poids, vais-je devenir très musclé ?

Il s'agit là d'une préoccupation courante et superflue, plus particulièrement pour les nombreuses femmes qui entament un programme d'exercices de résistance. Les femmes n'ont pas un niveau de testostérone suffisant pour devenir très musclées, et leur masse musculaire est inférieure à celle des hommes. Le fait est qu'en se raffermissant, votre corps va changer. La graisse occupe beaucoup plus de place que les muscles, pratiquement cinq fois plus de place. Ainsi, si vous pratiquez vos exercices de résistance ou si vous soulevez des poids avec constance et régularité, vous deviendrez plus musclé et votre graisse diminuera. En bout de ligne, vous deviendrez plus ferme. De façon ironique, même si vous vous raffermissez, votre poids peut ne pas changer, étant donné que les muscles sont plus lourds que la graisse, mais vos vêtements vous iront mieux !

Est-ce que je peux modifier ma silhouette en me contentant de marcher ou de faire d'autres exercices d'aérobie ?

Si vous suivez avec régularité un programme d'exercices d'aérobie à long terme, vous observerez des changements relatifs à vos muscles et votre apparence, mais pas aussi rapidement que si vous suivez un programme d'exercices de résistance. Les exercices d'aérobie peuvent vous aider à perdre du poids, mais vous devrez investir beaucoup de temps à instaurer de nouvelles habitudes en matière d'exercice et d'alimentation. Si vous désirez remodeler votre corps, commencez le programme d'exercices de résistance En forme pour combattre le cancer.

Existe-t-il une forme d'exercices à privilégier par les personnes plus âgées ?

Nous perdons tous des forces si nous n'utilisons pas nos muscles, et avec l'âge nous perdons de notre masse musculaire. La perte de masse et de force musculaire entraîne souvent un affaiblissement, ce qui contribue à la sensation de fatigue et vous expose davantage aux chutes et à l'invalidité. Les exercices d'aérobie et de résistance procurent autant de bienfaits aux personnes plus âgées qu'aux autres. Quel que soit votre âge, vous devez commencer un programme d'exercices en douceur et trouver un rythme qui vous permettra de ne pas vous blesser. De nombreuses études portant sur l'exercice physique, menées auprès de personnes âgées de plus de 70 ans, démontrent que la pratique d'un exercice est sans danger et que l'activité physique parvient à muscler les personnes plus âgées et à les maintenir en meilleure condition physique. Je suis certaine que l'exercice physique est un des meilleurs moyens de rester jeune et en forme.

Les exercices d'aérobie ou de résistance auront-ils un effet positif sur mon humeur ?

En me basant sur mon expérience médicale, je peux affirmer que les personnes qui pratiquent des exercices d'aérobie et de résistance se sentent mieux, et les études de recherche sont parvenues à la même conclusion. N'importe quelle forme d'exercice physique peut réduire l'anxiété et améliorer votre humeur et la façon dont vous abordez la vie.

Comment puis-je faire de l'exercice si je souffre d'une déficience ou d'une limitation physique ?

Dans les différents chapitres de ce livre, j'explique la façon de pratiquer une activité physique si vous êtes alité, si vous êtes en fauteuil roulant ou si vous êtes soumis à des limitations physiques en raison d'une neuropathie périphérique ou d'un lymphœdème. J'espère que ce livre vous apprendra à vous concentrer sur vos capacités et à comprendre qu'avec un peu de souplesse, de créativité et de détermination, vous pouvez travailler malgré – et avec – diverses déficiences afin de trouver de nouveaux moyens d'atteindre vos objectifs en matière de condition physique. Ne laissez pas vos limitations devenir une excuse et une barrière vous empêchant de poursuivre votre démarche en vue d'obtenir une meilleure santé pendant et après le cancer.

CONCLUSION

La science a énormément évolué en ce qui concerne l'élaboration de médicaments permettant de contrôler les effets secondaires du traitement du cancer, comme la nausée et la douleur. Prenez avantage de ces médicaments ; ils vous permettront non seulement de supporter un traitement optimal, mais ils accélèreront également votre rétablissement après le traitement en vous permettant d'être plus actif. Avec un peu de logique, de bon sens et la patience de commencer votre programme en douceur, vous serez en mesure de suivre votre programme d'exercices afin d'améliorer votre santé physique et émotionnelle. La pratique d'un exercice physique pendant le traitement du cancer ne présente aucun danger si vous écoutez votre corps et surveillez votre formule sanguine.

> L'exercice m'a ouvert les yeux sur toutes les possibilités que m'offrait la vie, non seulement en me réappropriant mon corps, mais aussi en me donnant l'espoir, la force et le courage de voir que je pouvais traverser cette épreuve et apporter d'autres changements positifs à ma vie.
>
> – Josée, 48 ans, atteinte d'un lymphome.

CHAPITRE 3

COMMENT LIMITER
VOS EFFETS SECONDAIRES

Un des plus grands défis du traitement du cancer est d'apprendre à limiter les effets secondaires, et il est essentiel que vous vous penchiez sur la question avant de penser à suivre un programme d'exercices pendant votre traitement. Bien que la pratique d'une activité physique pendant le traitement soit très bénéfique, vous ne serez pas en mesure de profiter de ses bienfaits si la douleur et les nausées vous empêchent de faire de l'exercice. À mesure que le traitement se poursuit, nous finissons par trouver des moyens de limiter les effets secondaires, et plus vous déterminerez rapidement des stratégies efficaces, plus vous vous sentirez mieux. La pratique d'une activité physique peut réduire les nausées, la fatigue et d'autres effets secondaires, mais il est important de connaître diverses façons de limiter ces désagréments ainsi que les nombreuses autres sensations déplaisantes que vous pourriez subir.

Si vous apprenez à limiter vos effets secondaires de façon active et à trouver les meilleurs moments pour appliquer ces stratégies, vous vous sentirez non seulement mieux, mais vous serez en outre capable de profiter des bienfaits de l'exercice

physique. Les chapitres précédents démontrent que les personnes ayant participé aux travaux de recherche et pratiquant
une activité physique sont en meilleure santé physique, plus
calmes et mieux dans leur peau, et qu'elles bénéficient d'une
meilleure concentration que celles qui ne pratiquent pas de
sport. Ce chapitre vous fournira des conseils pratiques et concis
sur la façon de limiter les effets secondaires reliés à vos traitements ainsi que des questions précises que vous pourriez
vouloir poser à votre médecin.

APPRENEZ À LIMITER VOS SYMPTÔMES

Zachary était un culturiste âgé de 29 ans atteint d'un cancer
des testicules en phase 3. Nous nous sommes rencontrés
quelques heures avant qu'il ne reçoive sa première dose de
chimiothérapie dont le protocole rigoureux nécessiterait
quelques heures de chimiothérapie sous perfusion à chaque
semaine. C'était un champion national de lutte et il aspirait à
être admis dans l'équipe olympique américaine. Sa première
série de traitements occasionna de fortes nausées et des
vomissements qui durèrent plusieurs jours. En l'espace de
deux semaines, il perdit plus de 4 kilos et devint faible et
terriblement fatigué. J'ai revu Zachary pendant sa troisième
semaine de traitement ; il était effrayé, découragé, déprimé et
angoissé à la perspective des prochains traitements. Zachary
me dit : « Je n'ai pas voulu appeler mon médecin parce qu'il
m'a prévenu que je risquais d'avoir des nausées, mais je ne
pouvais pas imaginer que ce serait aussi horrible. J'arrive à
peine à marcher d'un bout à l'autre de ma chambre. »
       Je décidai alors d'examiner avec lui les médicaments qui
lui avaient été prescrits et les moments auxquels il devait les

prendre. Il s'est avéré que Zachary attendait de ressentir les nausées pour prendre ses médicaments, ce qui signifie qu'il était trop nauséeux pour boire ou pour manger et qu'il avait peur que cela lui déclenche des vomissements. Je lui ai recommandé de prendre l'antiémétique à des horaires réguliers et de ne pas attendre de se sentir nauséeux, et de boire et de manger de légers repas sur une base régulière. Une semaine plus tard, il m'a téléphoné pour me dire comment il se sentait : « J'ai toujours de légères nausées, mais je me sens moins faible et j'arrive à boire et à manger si je prends de petites quantités. Je me sens mieux si je mange et bois un peu toutes les heures ou toutes les deux heures. Et, ce qu'il y a de mieux, c'est que je fais maintenant des étirements et que je peux soulever des poids légers. » Au cours des semaines suivantes, Zachary a appris à reconnaître les signes avant-coureurs de la nausée et de la déshydratation et à savoir à quel moment il devait commencer à prendre ses antiémétiques. Il reprit pratiquement tout le poids qu'il avait perdu et fut en mesure de faire des entraînements faciles consistant à soulever des poids, à s'étirer et à faire un peu de course.

LIMITER LES EFFETS SECONDAIRES
COURANTS DU TRAITEMENT

Fatigue

La fatigue est l'effet secondaire le plus courant du traitement du cancer. Elle est associée à n'importe quel type de traitement et de cancer. La fatigue est un manque d'énergie insurmontable qui peut avoir des répercussions sur tous les aspects de votre vie. La fatigue liée au cancer n'est pas la même que celle que vous ressentiez avant votre cancer. Il s'agit d'un sentiment d'épuisement plus intense. Vous pouvez vous sentir faible, avoir de la difficulté à vous concentrer et avoir du mal à effectuer vos activités habituelles. Pour rendre le tout encore plus décourageant, la fatigue n'est pas atténuée par le repos. Le bon sens nous conseille de faire une sieste ou de dormir plus longtemps pour nous sentir mieux, mais cela ne s'applique pas à la fatigue du cancer. Les opérations chirurgicales, la chimiothérapie, la radiothérapie, le manque de sommeil, le manque d'appétit, l'inactivité, le stress et l'inquiétude peuvent contribuer à la fatigue.

La fatigue est un effet secondaire important dont vous devez informer votre médecin. La sensation de fatigue ne signifie pas que votre cancer s'aggrave ou que vous ne réagissez pas au traitement. Il s'agit d'un effet secondaire courant du traitement et il existe des moyens de le contrôler. N'oubliez pas d'aviser votre médecin de la façon dont la fatigue affecte vos activités quotidiennes et votre capacité à vous concentrer.

Essayez de déterminer votre rythme de fatigue. Y a-t-il des moments dans la journée où vous vous sentez mieux ou plus mal? Si vous recevez une chimiothérapie, vous pouvez envisager d'organiser vos activités pendant les jours qui précèdent votre prochain traitement, au moment où vous devriez vous sentir mieux. Prévoyez des activités calmes à la maison pendant les deux à trois jours qui suivent votre chimiothérapie.

Conseils pratiques pour limiter votre fatigue

- À quel moment vous sentez-vous le mieux? Essayez d'organiser vos activités en fonction des moments où votre énergie est à son maximum. Si c'est le matin, prévoyez d'effectuer vos activités à ce moment-là.

- Lorsque vous vous sentez bien, suivez votre rythme. N'en faites pas trop, sinon vous risquez de vivre une période de fatigue intense avant de vous sentir mieux à nouveau. Le «yo-yo» de la fatigue peut être décourageant. Faites des projets et suivez votre propre rythme.
- À quel moment avez-vous le moins d'énergie? Prévoyez de prendre du temps pour vous reposer ou pour profiter d'une période calme avant d'être trop épuisé. Décidez quelles sont les tâches les plus urgentes, et lesquelles vous voulez effectuer vous-même. Commencez par ces tâches et confiez les autres à quelqu'un d'autre.
- Apprenez à demander de l'aide et à accepter qu'on vous en offre. Les gens ne demandent qu'à vous aider! Soyez précis et expliquez-leur ce qu'ils peuvent faire pour vous. Confiez-leur des tâches définies, comme sortir les poubelles, s'occuper du jardin, faire quelques courses, balayer l'entrée ou vous conduire à vos rendez-vous.
- Essayez de ne pas passer votre temps devant la télévision. Nous savons que l'inactivité entraîne la perte musculaire et que cette dernière peut entraîner la fatigue. C'est un cercle vicieux auquel vous pouvez mettre fin dans une certaine mesure en augmentant votre pratique d'activité physique.
- La pratique d'un exercice physique, comme la marche sur une courte distance, peut être utile pour accroître votre énergie, améliorer votre humeur et diminuer votre fatigue. Suivez les directives contenues dans les chapitres suivants.
- Il est important d'avoir une bonne alimentation. Votre corps a besoin du carburant qu'est la nourriture pour avoir de l'énergie. Des repas légers, fréquents et nutritifs

sont plus bénéfiques pour votre corps que de gros repas ou des aliments vides.

- Si vous consommez de la caféine ou de l'alcool, faites-le avec modération. Ces boissons risquent de vous déshydrater.
- Buvez au moins de 8 à 10 verres de liquide par jour, notamment de l'eau.
- Essayez de réduire les sources de stress.
- Pratiquez des activités relaxantes, comme écouter de la musique, lire, faire de la visualisation, vous masser doucement ou faire de l'exercice.
- Détendez-vous avant de vous coucher le soir en lisant ou en prenant un bain.
- Essayez d'avoir une routine de sommeil régulière, ce qui contribuera à améliorer votre sommeil.
- Si vous dormez mal, parlez-en à votre équipe soignante. Comme chacun le sait, le manque de sommeil occasionne de la fatigue.

Traitements contre la fatigue

Bien que nous ne connaissions pas toutes les causes de la fatigue, nous savons que l'anémie (insuffisance de globules rouges souvent provoquée par les traitements du cancer ou par le cancer lui-même) est courante et que cette source de fatigue peut être atténuée. Les transfusions sanguines ou l'utilisation de médicaments qui stimulent l'augmentation des globules rouges (érythropoïétine (Procrit, Eprex) ou darbepoïétine (Aranesp)) ne représentent aucun danger et sont des moyens efficaces de corriger l'anémie et d'aider à réduire la fatigue. D'autres sources de fatigue ne sont pas aussi évidentes mais font l'objet d'observations cliniques. Des études sont actuellement menées pour examiner les conséquences des stimulants et des antidépresseurs sur la réduction des effets cognitifs de la fatigue, caractérisés par des troubles de la mémoire et du langage, appelés *chemobrain* en anglais, et qui sont très gênants car ils nous empêchent de nous rappeler de mots, de phrases ou de ce que nous étions sur le point de dire. La déficience cognitive n'apparaît pas uniquement pendant le traitement, elle peut également affecter certaines personnes pendant des mois, voire des années après la fin du traitement. Nous avons encore beaucoup à apprendre sur la fatigue et sur la façon de l'éviter ou de la limiter. Il est possible que, dans un avenir rapproché, la fatigue soit un problème dépassé devenu un effet secondaire gênant mais contrôlable, ou peut-être même évitable, du traitement.

Pourquoi faut-il prendre des médicaments contre la fatigue ?

Prendre plus de médicaments ? Mais pourquoi ? Ne puis-je pas tout simplement vivre avec ma fatigue ? Voilà des questions souvent posées par des patients qui se sentent submergés par le nombre de médicaments qu'ils doivent prendre. Il existe de nombreuses raisons importantes de traiter la fatigue : 1) si vous améliorez votre tolérance au traitement, vous pourriez recevoir le dosage thérapeutique maximal et accroître ainsi vos chances de guérison ; 2) des recherches effectuées précédemment révèlent qu'en corrigeant la fatigue reliée à l'anémie, il est possible d'accroître l'efficacité de certains traitements, ce qui augmente une fois de plus vos chances de rétablissement et de guérison ; 3) il existe des preuves scientifiques selon lesquelles la réduction de la fatigue entraîne une meilleure qualité de vie, ce qui pourrait être, en fin de compte, la meilleure des raisons de régler le problème.

DOULEUR

Personne ne veut avoir mal, mais bien souvent les gens se font de fausses idées sur la signification de la douleur et sur la façon de la traiter. La douleur fait l'objet d'études depuis de nombreuses années, et nous en savons beaucoup sur la façon de la limiter de façon efficace et sans que cela ne représente de danger. Vous trouverez ci-dessous une liste de quelques données de base qu'il vous sera utile de savoir et de comprendre relativement à la douleur.

- Avoir mal ne signifie pas que votre cancer s'aggrave ou que votre traitement n'est pas efficace.
- Les analgésiques sont plus efficaces lorsqu'ils sont pris de façon régulière, c'est-à-dire lorsque les prises sont réparties sur toute la journée.
- Il est plus facile de contrôler une douleur légère qu'une douleur intense qui nécessite en outre une prise plus importante d'analgésiques.
- Il est rare que les patients deviennent dépendants des analgésiques. La plupart des cas de dépendance se rencontrent lorsqu'il y a automédicamentation sans qu'il y ait de raison valable à la prise de médicaments. Ces personnes prennent des médicaments pour « planer » et non pour contrôler la douleur.
- Votre corps peut finir par s'habituer aux analgésiques, si bien que leur efficacité commence à diminuer lorsque

vous les prenez avec régularité pendant une période prolongée. Il est facile de régler ce problème en augmentant le dosage, en changeant d'analgésiques ou en ajoutant un autre médicament. Il arrive souvent que la combinaison de deux médicaments soit plus efficace qu'un seul médicament.

• Le fait que votre corps s'habitue aux analgésiques ne signifie pas qu'il en est dépendant ! C'est la façon dont votre corps réagit. Lorsque votre douleur disparaîtra, vous n'aurez plus besoin de prendre d'analgésiques.

Pourquoi ai-je mal ?

Il existe de nombreuses raisons pour lesquelles vous pouvez ressentir de la douleur. La douleur peut provenir de la pression exercée par la ou les tumeur(s) cancéreuse(s) sur les os, les nerfs ou les organes. Le traitement peut également occasionner des douleurs. Par exemple, la radiothérapie peut entraîner des lésions et des rougeurs de la peau appelées radiodermites, et la chimiothérapie peut causer des stomatites, des rougeurs et des ulcères, et parfois même des infections de la bouche et de la gorge. Vous pouvez également souffrir de douleurs omniprésentes telles que maux de tête, arthrite et élongations musculaires.

Que risque-t-il d'arriver
si je ne prends pas mes analgésiques ?

Si vous souffrez, vous pouvez préférer ne pas trop bouger ou être moins actif que d'habitude. Le fait de rester actif contribue considérablement au processus de rétablissement. Si vous êtes inactif ou restez au lit, vous courez de nombreux risques, notamment une faiblesse musculaire, la possibilité d'attraper plus facilement des infections, une diminution des capacités cardiaque et respiratoire, des troubles du sommeil, de la dépression, de l'anxiété et une fatigue accrue. Si vous souffrez d'une douleur qui ne fait pas l'objet d'un traitement ou que vous ne parvenez pas à soulager, vous pouvez être angoissé, irritable et même déprimé. Soulager vos douleurs peut vous aider à rester actif et à améliorer votre qualité de vie.

Communiquer avec votre équipe soignante

Vous devez être honnête avec votre équipe soignante à propos de vos douleurs si vous voulez réussir à les limiter. Servez-vous des conseils formulés dans ce chapitre. Ne minimisez pas ce que vous ressentez.

Types d'analgésique

Il existe de nombreux types de médicaments visant à soulager les douleurs. Les non opioïdes comprennent l'acétaminophène (Tylenol, Doliprane) ou le paracétamol (Efferalgan) et les anti-inflammatoires non stéroïdiens, comme le naproxène (Aleve, Naprosyne, Apranax) ou l'ibuprofène (Motrin, Advil). Ces médicaments sont prescrits pour les douleurs légères à modérées. Les anti-inflammatoires non stéroïdiens sont souvent prescrits pour les douleurs associées aux gonflements, aux métastases osseuses et aux élongations musculaires. Les opioïdes sont des médicaments qui contiennent de la morphine, de l'hydromor-phone, de l'oxycodone et de la codéine. Ces médicaments sont utilisés pour les douleurs modérées à aigues et sont parfois combinés avec des analgésiques non opioïdes. Les antidépresseurs et les anticonvulsifs, comme l'amytriptyline, l'imipramine, le Neurotin et la phénytoïne sont couramment utilisés pour soulager les sensations de fourmillement ou de brûlure reliées aux douleurs nerveuses. Les stéroïdes, comme le Décadron et la prednisone, peuvent être prescrits pour diverses raisons. Les stéroïdes peuvent diminuer les douleurs osseuses ou les douleurs causées par les gonflements et les inflammations.

Quelles sont les modes d'administration des analgésiques ?

Les analgésiques, comme tout autre médicament, peuvent être pris par voie orale, intraveineuse, par voie rectale sous la forme d'un suppositoire ou sous la forme d'un timbre transdermique à coller sur la peau (utilisation topique). La façon dont vous prenez vos médicaments dépend de vos besoins et de ce qui vous est prescrit. Il est important de prendre vos médicaments régulièrement et de ne pas attendre de ressentir une douleur. Idéalement, vous voudrez plutôt éviter la douleur. Rappelez-vous que vous ne développerez pas de dépendance à vos analgésiques. Vous réduirez graduellement les doses à mesure que votre douleur s'atténuera.

Effets secondaires courants reliés aux analgésiques

Il est important de comprendre que les effets secondaires ont tendance à diminuer avec le temps. La constipation, les nausées et la somnolence font partie des effets secondaires des analgésiques. La constipation peut survenir lorsque des anti-inflammatoires non stéroïdiens et des opioïdes sont pris en même temps. La prévention est la meilleure approche pour éviter ces effets. Vous pouvez réduire la constipation en augmentant votre consommation de liquide (comme des jus de fruits ou de l'eau) et en adoptant un régime alimentaire riche en fruits et en légumes. La prise de laxatifs émollients ou de suppléments de fibres au moment du coucher peut également être utile. Il est en outre possible d'ajouter des laxatifs à votre traitement. De plus, il est important d'être actif et d'intégrer l'exercice physique à votre quotidien pour maintenir vos intestins en mouvement.

Certains analgésiques peuvent occasionner des nausées, des maux d'estomac et parfois même des vomissements. Bien que cet effet secondaire s'atténue généralement après un ou deux jours, vous voudrez peut-être prendre un médicament qui soulage vos nausées. Informez votre équipe soignante de tout effet secondaire de ce genre. Elle pourra modifier le dosage des médicaments que vous prenez ou vous en prescrire d'autres.

La somnolence fait partie des effets secondaires de certains analgésiques. Elle disparaît habituellement après quelques jours. Parlez-en à votre infirmière ou à votre médecin si elle persiste et devient gênante. Il suffit parfois simplement d'ajuster le dosage. Si vous prenez un nouveau médicament, il est préférable de le faire à la fin de la semaine de travail pour vous sentir le mieux possible le lundi et éviter les effets secondaires éventuels qui pourraient vous empêcher de travailler.

Certains médicaments peuvent ralentir votre rythme respiratoire. Si cela vous préoccupe, parlez-en à votre infirmière ou à votre médecin.

Méthodes pour soulager la douleur
sans prise de médicaments

Il existe de nombreux moyens, autres que pharmacologiques, de réduire vos douleurs. Certaines des techniques conseillées sont simples et faciles à apprendre. Les exercices de respiration, de relaxation, de visualisation ainsi que les massages peuvent contribuer à soulager vos douleurs.

Lorsque nous ressentons une douleur, nous modifions parfois notre façon de respirer. Il est important d'avoir une respiration lente et profonde et d'essayer de contrôler notre expiration. Le fait de retenir votre respiration ou de respirer à un rythme trop rapide peut aggraver votre douleur, vous rendre nerveux et vous donner des vertiges.

En apprenant des techniques de relaxation et de visualisation, vous serez non seulement en mesure de maîtriser votre douleur mais aussi de gérer votre stress.

Lire, discuter avec des amis ou regarder la télévision, par exemple une bonne comédie, sont autant de moyens de vous changer les idées et d'oublier votre inconfort.

L'application de compresses chaudes ou froides sur la région douloureuse peut diminuer les spasmes musculaires et autres sensations douloureuses.

Vous pouvez également masser, ou faire masser, la zone douloureuse pour contribuer à détendre les muscles endoloris et contractés. Il est possible de suivre des cours de massage ou de prendre rendez-vous avec un massothérapeute. Vous devez vous reposer suffisamment, non seulement pour mieux supporter la douleur, mais aussi pour porter un regard positif et ouvert sur la vie.

Autres méthodes de gestion de la douleur

Toutes les méthodes de gestion de la douleur présentées dans ce chapitre doivent avoir été prescrites par un praticien agréé et doivent être effectuées sous sa supervision. Ces méthodes peuvent permettre de réduire et de contrôler efficacement vos douleurs. L'*acupuncture* peut être efficace si elle est pratiquée de façon appropriée. La *rétroaction* ou *rétrocontrôle* est une technique que vous pouvez apprendre pour limiter votre douleur. La *neurostimulation transcutanée* (TENS) utilise de faibles courants électriques pour stopper les sensations de douleur.

La *radiothérapie* peut être prescrite pour limiter les douleurs occasionnées par certains types de cancers, plus précisément lorsqu'il y a présence de métastases osseuses. La radiothérapie aide à diminuer la douleur en réduisant la taille de la tumeur. La technique du *blocage nerveux* et la *neurochirurgie* peuvent contribuer à bloquer ou à supprimer la douleur, ou encore à supprimer la source de la douleur, par exemple lorsqu'une tumeur exerce une pression sur un nerf.

Apprenez à décrire votre douleur

Il est important que vous sachiez décrire votre douleur avec précision. La description que vous en faites aidera votre équipe soignante à déterminer le meilleur moyen de la traiter. Vous trouverez ci-dessous une liste des caractéristiques d'une douleur pouvant vous aider à décrire la vôtre :

- Où votre douleur est-elle située ?
- Quelle est la sensation associée à votre douleur ?

Sourde	Brûlante
Poignante	Écrasante
Irradiante	Intermittente
Soudaine	Fulgurante
Constante	S'apparente à des fourmillements
Aiguë	S'apparente à des battements

- À quel moment votre douleur est-elle à son maximum?
- Votre douleur vous réveille-t-elle?
- Certaines activités aggravent-elles ou améliorent-elles votre douleur?

Marcher	Être assis	Tousser
Être allongé	Soulever un objet	

- Quels médicaments prenez-vous? En quelle quantité? À quelle fréquence?
- Apprenez à évaluer l'intensité de votre douleur sur une échelle de 0 à 10 (0 = aucune douleur, 10 = douleur la plus forte). Cela vous aidera à déterminer avec votre équipe soignante si votre douleur est bien traitée ou si des modifications doivent être apportées au traitement. Vous trouverez ci-dessous un exemple d'échelle de douleur.
- Le niveau de ma douleur aujourd'hui est:

Aucune 1 2 3 4 5 6 7 8 9 10 Douleur
douleur   la plus
                                            forte

Bien qu'il existe de nombreux types de douleur, la sensation de douleur, si elle n'est pas traitée, peut vous épuiser, vous angoisser, vous empêcher d'avoir les idées claires ou de vous

déplacer facilement, ce qui peut affecter votre qualité de vie.
Il existe de nombreux moyens sans danger et efficaces de
traiter la douleur. La prise régulière d'analgésiques ne vous
rendra pas dépendant, mais pourra au contraire vous aider à
mener une vie plus active et plus remplie. En apprenant à
décrire l'endroit où se situe votre douleur, les moments où
elle se manifeste, la sensation qui l'accompagne et son intensité, vous pourrez mieux collaborer avec votre équipe soignante pour la limiter et pour améliorer votre qualité de vie.

NAUSÉES

Les nausées et les vomissements sont des effets secondaires
courants de nombreux traitements du cancer. La chimiothérapie et la radiothérapie peuvent occasionner des nausées. Il
arrive que la combinaison de chimiothérapie et de radiothérapie provoque davantage de nausées que si vous receviez
chacun de ces traitements individuellement. Les nausées reliées
à la chimiothérapie peuvent apparaître le jour même du traitement et durer parfois pendant plusieurs jours. Les nausées
reliées à la radiothérapie sont différentes. Vous n'aurez probablement pas de nausées reliées à une radiothérapie à moins
qu'elle ne cible l'abdomen. Si vous recevez de la radiothérapie
sur l'abdomen, il est possible que vous souffriez de nausées ou
de vomissements quelques heures après le traitement. Certaines
personnes remarquent que les nausées apparaissent après
quelques jours et deviennent de plus en plus fortes à mesure
que le traitement se poursuit. Il est bon de savoir qu'il existe
des médicaments très efficaces pour limiter les nausées.

Les médicaments contre la nausée s'appellent des antiémétiques. Si vous recevez un traitement de chimiothérapie

ou de radiothérapie pouvant occasionner des nausées ou des vomissements, une ordonnance vous sera remise avant votre sortie de l'hôpital. Il est important que vous preniez les antiémétiques qui vous ont été prescrits pour limiter les nausées qui pourraient se déclencher lorsque vous serez chez vous. Si vous continuez à souffrir de nausées ou de vomissements alors que vous prenez les médicaments prescrits, contactez votre équipe soignante.

COMMENT LIMITER LES NAUSÉES

La prévention est le meilleur moyen de limiter les nausées. Prenez vos médicaments antiémétiques tels qu'ils vous ont été prescrits. Certains de ces produits sont coûteux. Si votre assurance-maladie ne couvre pas le coût de ces médicaments, parlez-en à votre équipe soignante. Elle pourra probablement vous prescrire un autre médicament ou s'entendre avec la pharmacie ou le laboratoire qui fabrique le médicament pour obtenir un tarif préférentiel.

Si vous n'êtes pas en état de prendre un médicament anti-nauséeux par voie orale en raison de vomissements, informez-en votre équipe soignante. Les antiémétiques peuvent être administrés d'autres façons, que ce soit par intraveineuse ou par voie rectale, sous la forme de suppositoires. Si vous avez la sensation que vos nausées pourraient être mieux traitées, parlez-en à votre équipe soignante. Il est habituellement possible d'augmenter votre dosage, de changer de médicament ou encore de le combiner avec d'autres produits.

CONSEILS POUR RÉDUIRE LES NAUSÉES

- Essayez de consommer des aliments et des boissons que vous avez bien tolérés à des moments où vous étiez nauséeux. Les gens remarquent souvent qu'ils supportent bien les aliments neutres, comme les biscuits secs, certaines boissons gazeuses et le riz.
- Mangez des aliments frais ou à la température de la pièce. Évitez les aliments chauds dont l'odeur est généralement plus forte et risque d'accroître vos nausées.
- Évitez les aliments gras, frits, épicés ou très sucrés. Ce type d'aliments peut intensifier vos nausées.
- Évitez de consommer vos aliments préférés lorsque vous avez des nausées. Vous risquez de développer une aversion pour ces aliments en particulier.
- Si possible, demandez à quelqu'un d'autre de cuisiner lorsque vous avez des nausées. Restez éloigné de la cuisine et des odeurs.
- Si vous avez habituellement des nausées après la chimiothérapie, des repas surgelés peuvent être utiles.
- Buvez une quantité suffisante de liquide. La chimiothérapie altère souvent le goût, alors trouvez une boisson que vous aimez. Il peut s'agir d'eau, d'un jus de fruits ou d'une boisson énergétique comme le Gatorade.
- Veillez à ce que votre bouche soit propre. Brossez-vous les dents au moins deux fois par jour. Rincez votre bouche avec de l'eau salée afin de supprimer un goût déplaisant.
- Certaines personnes ont remarqué que les techniques de relaxation contribuaient à réduire les nausées.
- L'acupuncture est efficace pour certaines personnes souffrant de fortes nausées.

- Les bandes d'acupression portées au poignet peuvent également réduire les nausées chez certaines personnes.

Quand faut-il appeler votre équipe soignante?

- Les nausées vous empêchent de mener à bien vos activités quotidiennes.
- Vous ne gardez rien dans votre estomac.
- Vous vomissez et perdez plus d'un kilo en une journée. Il est possible que vous ayez soif et que vous ayez la bouche sèche parce que vous avez perdu beaucoup d'eau.
- Vous vomissez et votre urine est jaune foncée ou vous n'urinez pas aussi souvent que d'habitude.
- Vous vous sentez étourdi ou confus.
- Ce que vous vomissez est d'une couleur sombre ou ressemble à du marc de café.

STOMATITES OU INFLAMMATIONS DE LA BOUCHE

Le cancer et ses traitements peuvent provoquer des stomatites, qui sont des inflammations de la bouche, ou du muguet, qui est caractérisé par des lésions buccales de couleur blanche causées par une infection à levures. La chimiothérapie et la radiothérapie ciblent et tuent les cellules qui grossissent et se renouvellent rapidement, comme celles qui constituent votre muqueuse buccale. À cause du traitement du cancer, votre bouche peut devenir rouge et douloureuse. Votre bouche joue un rôle important dans votre santé.

Examinez-la au moins une fois par jour. Utilisez une lampe de poche pour bien l'observer devant un miroir.

Ce que vous devez éviter

- Mâcher du tabac ou fumer des cigarettes, des cigares ou une pipe.
- Consommer des boissons alcoolisées (bière, vin ou alcools forts).
- Utiliser des gargarismes forts et des produits contenant du peroxyde d'hydrogène qui pourraient réellement vous brûler la bouche.
- Utiliser de la soie dentaire si votre formule sanguine ou vos globules blancs sont trop faibles (moins de 50 000 plaquettes/mm^3 ou tel qu'indiqué par votre médecin) ou si son utilisation est douloureuse et occasionne des saignements.

Ce que vous devez faire

Si vos douleurs buccales vous empêchent de manger, demandez conseil à votre équipe soignante. Il se pourrait que l'on vous prescrive un médicament pour anesthésier votre bouche avant les repas et au moment de vous brosser les dents. Ces médicaments, comme la xylocaïne, peuvent être appliqués directement sur les zones douloureuses, badigeonnés dans votre bouche, puis recrachés. Il est habituellement plus facile de consommer les aliments froids, comme la crème glacée et les boissons froides. Prenez garde aux aliments chauds et épicés.

Prenez un analgésique au moins 60 minutes avant les repas. Si votre bouche est constamment douloureuse, vous pourriez bénéficier d'un plan plus efficace en matière de contrôle de la douleur ou de la prise de médicaments 24 heures par jour. Discutez avec votre équipe soignante des moyens de contrôler votre douleur. Si vous pensez avoir besoin d'un médicament plus puissant, parlez-en avec votre médecin.

Les infections peuvent aggraver vos douleurs buccales. Si des tâches de couleur blanche ou rouge vif apparaissent sur votre muqueuse buccale, vérifiez auprès de votre équipe soignante si elle peut vous aider à les limiter. Si des saignements apparaissent, appliquez doucement de la glace sur la zone concernée.

Manger malgré les douleurs buccales

Essayez d'avoir une alimentation équilibrée. Une bonne alimentation contribue considérablement au processus de guérison. Cela peut paraître simple, mais lorsque votre bouche est douloureuse, manger est une activité déplaisante. Il est souvent plus facile de manger plusieurs petits repas que trois gros repas. Buvez au moins deux litres et demi d'eau par jour (entre 8 et 10 grands verres), à moins que vous n'ayez reçu comme directive précise de limiter la consommation de liquide. Essayez d'éviter les aliments chauds, rugueux, très épicés ou acides, ou tout autre aliment qui pourrait vous irriter. Les aliments froids comme les sucettes glacées, les laits frappés ou les soupes froides peuvent occasionner moins de douleurs et être plus faciles à tolérer.

Raisons pour lesquelles vous devez appeler votre médecin

- Votre température est supérieure à 38,5 °C.
- Un saignement qui continue malgré une légère pression sur la zone.

- Votre bouche présente des signes d'infection, comme des tâches blanches, des rougeurs, des boursouflures ou des ulcères.
- La douleur a augmenté.
- Vous arrivez difficilement à avaler.

CONSTIPATION

La constipation peut provenir d'un manque d'activité, d'une modification de votre alimentation ou d'une diminution de votre absorption de liquide. Certains médicaments peuvent également occasionner de la constipation. La constipation peut causer des douleurs et un inconfort considérables. Vous trouverez ci-dessous quelques conseils pour vous aider à maintenir l'activité de vos intestins :

- Buvez beaucoup, au moins 8 à 10 verres par jour.
- Consommez des aliments riches en fibres et beaucoup de fruits et légumes (se reporter au tableau).
- Faites de l'exercice tous les jours. La marche est une activité efficace. Si vous n'êtes pas capable de vous déplacer ou de faire de l'exercice, contractez et relâchez les muscles de votre abdomen et bougez ou relevez vos jambes le plus possible lorsque vous êtes assis ou étendu dans votre lit.
- Essayez de respecter chaque jour le même horaire pour aller aux toilettes, de façon à ce que vos intestins soient habitués à se mettre en mouvement à la même heure de la journée. Le meilleur moment est souvent après le petit déjeuner.

- Si possible, évitez d'utiliser un bassin de lit. Utilisez plutôt les toilettes ou une chaise percée ou chaise d'aisance.
- Discutez avec votre médecin de ce qui a été efficace pour vous dans le passé pour éviter ou traiter la constipation.
- Si des médicaments contre la constipation vous ont été prescrits, prenez-les tel qu'indiqué.

EXEMPLES D'ALIMENTS RICHES EN FIBRES

Oranges	Son	Haricots verts
Courges	Pamplemousses	Avoine
Choux	Aubergines	Melons
Riz brun	Laitue	Figues
Pruneaux	Fèves/Haricots	Pain au blé entier
Maïs	Céréales entières	Son d'avoine
Prunes	Légumineuses	Fèves de soja
Poires	(lentilles, pois cassés)	Champignons
Carottes	Pommes de terre	

Comment traiter votre constipation

Vous pouvez traiter la constipation légère en suivant les conseils ci-dessus. Toutefois, si vous n'êtes pas allé aux toilettes pendant plusieurs jours, vous courez le risque d'une grave constipation. La prise de médicaments visant à activer le transit intestinal peut être nécessaire. Demandez conseil à votre équipe soignante.

Que dire à votre équipe soignante si vous souffrez de constipation

Si vous devez consulter votre médecin, rappelez-vous de lui fournir les renseignements suivants :

1. Quand êtes-vous allé aux toilettes la dernière fois ? Vos selles étaient-elles de taille, de couleur et de texture normales ? Avez-vous dû faire des efforts ? Avez-vous eu des saignements ? Avez-vous eu de la diarrhée ?
2. Notez la quantité et le type de boissons et d'aliments que consommez.
3. Indiquez les médicaments que vous prenez pour vos intestins, en quelle quantité, ainsi que les nouveaux médicaments ou traitements depuis votre dernière visite (surtout dans le cas d'une augmentation de la prise d'analgésiques).

Recettes pour assurer une régularité intestinale

Vous trouverez ci-dessous des recettes savoureuses qui vous aideront à réguler votre transit et à vous sentir mieux.

Pruneaux farcis à la tisane de séné

28 g de feuilles de séné
environ 1 litre d'eau
environ 500 g de pruneaux

Facultatif : Infusez avec des oranges ou des citrons épluchés et découpés en tranches épaisses pour obtenir une saveur et un arôme plus recherchés.

Faites bouillir à petit feu les feuilles de séné dans l'eau. Filtrez l'eau pour retirer les feuilles et ajoutez-y les pruneaux. Laissez mijoter jusqu'à ce que la plus grande partie du liquide ait été absorbée par les pruneaux ou se soit évaporée.

Quantité : Mangez entre un et trois pruneaux tous les deux ou trois jours.

Il est possible d'obtenir de la tisane de séné en infusant seulement les feuilles et sa consommation peut aider à régulariser le transit intestinal.

Tartinade réussie

100 g de raisins frais
100 g de raisins secs
100 g de pruneaux
100 g de figues
100 g de dates
Environ 250 g de concentré de pruneaux

Facultatif : Ajoutez une pincée de cannelle, de clou de girofle ou de vanille. Le jus de citron est efficace pour neutraliser la douceur.

Mettez les fruits dans un robot culinaire. Mélangez la mixture au concentré de pruneaux. Mettez au réfrigérateur. Consommez deux à trois cuillerées à café de cette tartinade chaque jour pour réguler votre transit intestinal. Elle est délicieuse sur une tranche de pain grillé.

1-2-3 Plaisir de prune

1 tasse (25 cl) de son
2 tasses (50 cl) de jus de pruneau
3 tasses (75 cl) de compote de pommes

Facultatif : Ajoutez des pommes fraîchement râpées, de la farine d'avoine et des raisins secs pour obtenir un muesli.

Mélangez tous les ingrédients et ajoutez le mélange à des céréales chaudes. Commencez par en manger entre 2 et 4 cuillerées à soupe, et ajustez la quantité si nécessaire.

DIARRHÉE

La diarrhée est caractérisée par au moins deux selles molles ou liquides par jour. Elle peut être causée par la chimiothérapie et la radiothérapie. Si vous recevez de la radiothérapie sur une autre région que l'abdomen (estomac), vous ne souffrirez pas de diarrhées à cause de la radiothérapie. Toutefois, si vous recevez de la radiothérapie sur la zone de votre abdomen, les diarrhées pourraient augmenter au fil du temps.

Conseils pour réduire l'activité de votre transit intestinal

- Évitez de consommer des aliments riches en fibres, des aliments gras, des desserts sucrés ou autres aliments qui pourraient accroître l'activité de votre transit intestinal, comme le poivre, le café, l'alcool et les aliments riches en matières grasses.

- Prenez du Imodium. Ce médicament disponible en vente libre atténue les diarrhées. Respectez la posologie.
- Si les diarrhées se déclenchent après les repas, organisez vos activités en conséquence.
- Augmentez votre absorption de liquide et buvez entre 10 et 12 verres par jour.
- Informez votre médecin que vous souffrez de diarrhées.
- Si ces conseils ne vous aident pas à arrêter vos diarrhées, contactez votre équipe soignante pour obtenir ses recommandations et un éventuel traitement.

Autres raisons d'appeler votre médecin

- Votre température est supérieure à 38,5 °C
- Vous vomissez et ne gardez aucun liquide dans votre estomac
- Vous avez des étourdissements
- Votre urine est de couleur foncée
- Vos selles sont accompagnées de saignements

L'IMPORTANCE DU SOMMEIL

Une mauvaise nuit peut causer une sensation de découragement, de fatigue, et altérer votre enthousiasme face à la journée que vous avez devant vous. Nous passons tous une mauvaise nuit de temps à autre et les conseils suivants devraient vous aider à ne pas en faire une habitude. Essayez de suivre ces recommandations simples pour mettre en place de bonnes habitudes de sommeil.

Efforcez-vous de faire de l'exercice tous les jours ou tous les deux jours (la marche, la course lente, la nage et le cyclisme sont tous des activités bénéfiques). Le début de la journée est le meilleur moment pour la pratique d'une activité physique. Évitez les exercices énergiques en soirée ou 3 ou 4 heures avant d'aller vous coucher. Faire de l'exercice trop près de l'heure du coucher, même s'il s'agit d'une petite marche, stimule votre corps et il peut vous être plus difficile de vous endormir.

Respectez un horaire régulier pour vous coucher et vous lever le matin. La régularité est essentielle pour réussir à avoir de bonnes habitudes de sommeil. Même si votre sommeil est interrompu, essayez de vous lever à la même heure chaque jour. Votre cycle réveil-sommeil est habituellement basé sur l'heure à laquelle vous vous levez le matin. Ainsi, si vous dormez tard un matin, la nuit suivante en sera affectée. Par contre, se coucher plus tôt pour récupérer du sommeil ne présente aucun problème. Mais essayez de ne pas aller au lit plus d'une ou deux heures avant votre horaire habituel. Ne faites pas des nuits plus longues lorsque vous êtes en week-end ou en vacances.

Si vous faites la sieste, essayez de ne pas dépasser 20 à 30 minutes. Dormir plus longtemps pourrait perturber votre sommeil nocturne. Vous pourriez utiliser un réveil ou demander à quelqu'un de vous réveiller.

Assurez-vous que votre chambre est un endroit calme, bien ventilé, et que la température est confortable (entre 16 et 18 degrés). Munissez-vous d'un petit ventilateur ou d'un généra-teur de bruit blanc pour couvrir les autres bruits qui pourraient vous incommoder. Les tapis, stores et rideaux peuvent contri-buer à une meilleure insonorisation. Un nouveau matelas ou un matelas à coussins alvéolés peut également favoriser un bon sommeil.

Prendre un bain chaud (mais pas trop chaud) avant d'aller vous coucher peut être bénéfique. Éteignez les lumières et allumez une bougie pour créer une atmosphère de détente et profitez de votre bain. Une lecture légère ou une activité sexuelle peuvent être relaxantes. Vous pouvez également écouter un disque de musique douce ou de relaxation consciente.

Essayez d'éviter de consommer du tabac, de la caféine ou de l'alcool le soir. Buvez plutôt une tisane ou du lait chaud avant d'aller vous coucher. Si vous avez faim au moment de vous mettre au lit, prenez une légère collation, comme des biscuits secs, du pain grillé, des fruits ou du lait. Les aliments épicés sont à éviter.

La pratique d'exercices de relaxation au moment de vous endormir peut être bénéfique. Contractez et relâchez différentes parties de votre corps et soyez conscient de votre respiration. Pensez à un endroit que vous aimez, comme une plage ou une montagne. Essayez d'imaginer les sons que vous entendriez dans cet endroit pour que l'image que vous vous êtes créée dans votre esprit soit forte et agréable.

Si vous ne dormez toujours pas après environ une demi-heure, levez-vous. Allez dans une autre pièce. Évitez de vous exposer à une lumière forte et d'effectuer des activités trop exigeantes. Plongez-vous dans une lecture qui ne soit pas trop sérieuse, effrayante ou divertissante. Retournez au lit après 20 minutes de lecture. Si vous ne parvenez toujours pas à vous endormir, levez-vous de nouveau et lisez, regardez la télévision ou essayez une technique de relaxation.

Enfin, si vous continuez à avoir des problèmes de sommeil, parlez-en à votre équipe soignante. Il existe des médicaments qui pourraient vous aider à avoir une bonne nuit de sommeil.

LYMPHŒDÈME

Un lymphœdème est un gonflement du bras ou de la jambe. Il provient d'un blocage des ganglions lymphatiques, habituellement dans la zone de l'aisselle ou de l'aine, à la suite d'une opération chirurgicale ou d'un traitement de radiothérapie. Les lymphœdèmes peuvent apparaître juste après une opération chirurgicale, ou encore plusieurs mois ou années après le traitement du cancer. En plus d'être visible et de diminuer la capacité de mouvement, un lymphœdème est souvent douloureux et peut être aggravé par des actes courants de la vie quotidienne comme soulever vos petits-enfants pour les porter, utiliser un ordinateur, faire la vaisselle, faire le ménage ou tricoter.

Symptômes à signaler

1. Gonflement du bras, de la main, du pied ou de la jambe (du côté où vous avez été opéré).
2. Enflure de la région opérée.
3. Douleur dans une région en particulier ou douleur subite.
4. Rougeur ou chaleurs.

Conseils utiles pour prévenir et contrôler les lymphœdèmes

- Mesurez régulièrement vos extrémités pour être en mesure de repérer tout changement. Il est important d'agir rapidement pour limiter le gonflement.
- Élevez l'extrémité enflée au moins 20 minutes, trois ou quatre fois par jour.
- Effectuez, au moins deux fois par jour, des exercices, des automassages et des étirements doux pour faire circuler les fluides du corps, ce qui devrait permettre la formation de nouveaux canaux pour favoriser l'élimination des liquides lymphatiques.
- Évitez de soulever des choses lourdes du côté qui a été opéré. Travaillez en respectant vos limites. Ne vous forcez pas à soulever des sacs à provisions chargés. Si vous voulez être en mesure de soulever des articles plus lourds, vous devrez renforcer votre bras graduellement en vous entraînant à porter des poids plus lourds.
- Maintenez votre peau hydratée et évitez les coupures et les gerçures.
- Si vous développez les symptômes d'une infection (rougeurs, chaleurs, inflammation ou marques rouges), appelez votre médecin.
- Signalez toute évolution en matière de sensation, de douleur, d'engourdissement ou relativement à des vêtements, montres, bracelets ou bagues qui pourraient vous serrer.
- Portez une manche ou un bas de contention conçu par des professionnels et, si nécessaire, apprenez à bander l'extrémité pendant les périodes où les gonflements surviennent.

- L'exercice contribue à réduire et à contrôler les lymphœdèmes. Après une opération chirurgicale, il est conseillé de commencer par des étirements doux et des exercices d'amplitude de mouvements. Avec le temps, vous pourrez reprendre vos activités et exercices habituels. Nous ne comprenons pas les mécanismes précis des lymphœdèmes, mais nous pensons que la contraction musculaire contribue à retirer l'excès de liquide du membre.

NEUROPATHIE PÉRIPHÉRIQUE

La neuropathie périphérique est une perte de sensation qui survient principalement dans les doigts, les mains, les orteils et les pieds. Certains types de chimiothérapie (vincristine, paclitaxel et cisplatine) et de tumeurs peuvent endommager les nerfs périphériques, causant ainsi des engourdissements et des fourmillements dans les mains et les pieds, des douleurs musculaires et une insensibilité au toucher. Dans de rares cas, la neuropathie périphérique peut empêcher de marcher correctement ou peut nuire à votre équilibre. La neuropathie périphérique peut porter atteinte à vos activités quotidiennes, comme le simple fait de vous habiller, de manger ou de marcher. Bien qu'il n'existe aucun moyen d'éviter totalement la neuropathie périphérique, il est important de porter attention aux signes précurseurs comme les changements de sensation dans vos doigts et vos orteils, pour éviter, si possible, une détérioration de votre état.

EFFETS SECONDAIRES À LONG TERME
DU TRAITEMENT ET DU CANCER

Ostéoporose

Comme si le cancer et son traitement n'étaient pas déjà assez pénibles, nous apprenons actuellement que l'ostéoporose est un effet secondaire de nombreux traitements du cancer. L'ostéoporose se traduit par un amincissement des os qui deviennent alors plus poreux, plus fragiles et plus exposés aux fractures. Une perte osseuse survient lors du traitement, mais il s'agit d'un effet secondaire silencieux et asymptomatique. Bien que les hommes et les femmes souffrent de perte osseuse lorsqu'ils reçoivent des agents chimiothérapeutiques comme la doxorubicine et le méthotrexate, ou des stéroïdes, comme la prednisone ou le Décadron, les produits qui endommagent les os affectent davantage les femmes en préménopause qui perdent leurs fonctions ovariennes et se retrouvent en ménopause prématurée, ce qui vient s'ajouter aux effets secondaires déplaisants et décourageants de la chimiothérapie. Les études consistant à comparer la perte osseuse des femmes en préménopause à celle des femmes postménopausées démontrent que les femmes qui sont en préménopause avant le traitement et se retrouvent en ménopause pendant ou après celui-ci souffrent d'une perte osseuse considérable. À ce jour, il est impossible de savoir quelle quantité osseuse est récupérée après la fin du traitement et dans quelle mesure les os sont détériorés à vie. Nous savons qu'au cours des cinq premières années de ménopause, les femmes perdent habituellement entre 2 et 5 % de leur densité osseuse par an. Ainsi, lorsque la perte de densité osseuse reliée à la chimiothérapie est ajoutée à ce pourcentage, les jeunes femmes qui se retrouvent en ménopause prématurée, ayant perdu une grande densité osseuse, sont davantage exposées aux risques de fractures et doivent en subir les conséquences douloureuses.

Ne vous imaginez pas que les femmes postémopausées et les hommes ne sont pas exposés à la perte osseuse, car ils le sont. La perte osseuse est reliée à la chimiothérapie et à l'inactivité, et le traitement du cancer accroît la perte osseuse, ce qui signifie que les hommes perdent de la masse osseuse lorsqu'ils sont plus jeunes et que les femmes postménopausées souffrent d'une accélération de la perte osseuse. Bien qu'il existe des traitements pour éviter la perte osseuse et reconstruire la densité osseuse, la prévention est particulièrement importance.

Il existe de nombreux facteurs de risque d'ostéoporose. Les personnes à risque sont notamment les femmes ayant dans leur famille des antécédents en matière d'ostéoporose, les femmes grandes ou minces (moins de 18 % de masse corporelle grasse), dont la peau est claire, ou ayant déjà souffert de dépression clinique, de maladie de la thyroïde et de ménopause prématurée. Bien que nous ayons peu de contrôle sur les facteurs physiques qui exposent à l'ostéoporose, nous pouvons néanmoins modifier notre mode de vie pour limiter ces risques.

La consommation de cigarettes, la sédentarité et la pratique d'exercices trop violents sont au nombre des habitudes qui peuvent accroître le risque d'ostéoporose. La pratique répétée d'exercices trop violents peut entraîner de l'aménorrhée (absence de règles). Une trop grande consommation de caféine (plus de deux tasses de café par jour) contribue à la perte osseuse en accroissant l'excrétion du calcium. Malheureusement, plus vous consommez de caféine, plus votre corps perd de calcium. Le fait de boire plus de deux verres et demi de vin ou de bière par jour affecte la capacité des os à se reconstruire. Si votre foie est surmené en raison d'une mauvaise alimentation ou d'un médicament qui peut également être dangereux pour la santé de vos os, la production et la métabolisation d'œstrogènes (qui sont essentiels à la santé et à la croissance des os) seront réduites. Bien qu'il ne soit pas facile de changer nos habitudes, nous pouvons prendre des décisions en vue de les modifier, en augmentant notre pratique d'activité physique et notre apport alimentaire en calcium et en vitamine D, ainsi qu'en diminuant notre consommation de caféine et d'alcool.

Les médicaments visant à nous maintenir en bonne santé ou à traiter le cancer peuvent également causer une perte osseuse. Ils englobent les stéroïdes (par exemple, la prednisone ou le Décadron) qui traitent le cancer ou certaines maladies comme l'asthme, les anticonvulsifs utilisés fréquemment, comme le diazépam (Valium) ou le lorazepam (Ativan, Temesta), et certains agents chimiothérapeutiques, comme la doxorubicine (Adryamicine, Adriblastine) et le méthotrexate, utilisés pour soigner de nombreux cancers.

Maladies cardiaques

De nombreux traitements du cancer entraînent une prise de poids qui, combinée aux conseils bien intentionnés de vos médecins selon lesquels il est important de se reposer et à l'effet de certains médicaments pour le cœur, constituent la formule parfaite pour causer des maladies du cœur. Les recherches ont démontré qu'il existait un lien entre l'excédent de poids, l'inactivité et une alimentation riche en matières grasses d'une part, et l'apparition de maladies cardiaques d'autre part. Des statisticiens ont élaboré des modèles qui suggèrent que les personnes qui survivent au cancer courent quatre fois plus de risques de mourir d'une crise cardiaque que leurs « homologues en bonne santé n'ayant pas eu de cancer ». Bien qu'aucune étude n'ait été menée pour analyser précisément les répercussions de l'exercice physique sur la prévention des maladies cardiaques chez les patients atteints du cancer, notre compréhension du mécanisme des maladies cardiaques suggère fortement que l'exercice est bénéfique. L'exercice physique pratiqué par des patients atteints du cancer et par des personnes en bonne santé contribue à la perte de poids et à la réduction de la pression artérielle et du taux de lipides (par exemple, les triglycérides et le cholestérol), et renforce le muscle cardiaque pour lui permettre une meilleure capacité de pompage avec moins d'efforts. Si l'on considère les facteurs de risque que représentent la prise de poids, l'inactivité, la chimiothérapie et d'autres problèmes cardiovasculaires courants comme une pression artérielle et un taux de cholestérol élevés, il semble logique que vous deviez modifier votre style de vie pour donner plus de place à l'activité physique afin de faire disparaître certaines menaces à votre bien-être.

RÉSUMÉ

L'exercice physique n'est pas une panacée pour contrer tous les effets secondaires que vous pourriez subir pendant le traitement, mais il améliore considérablement votre qualité de vie et peut éviter certains des effets secondaires à long terme du traitement. Plus rapidement vous serez à l'écoute de votre corps et apprendrez à reconnaître et à limiter vos effets secondaires et vos symptômes, plus vous vous sentirez mieux vite et serez en mesure de mener à bien les activités qui vous tiennent à cœur. Si vos effets secondaires persistent malgré vos efforts, parlez-en à votre équipe soignante et décrivez-lui ce que vous ressentez. N'attendez pas votre prochain rendez-vous : demandez de l'aide immédiatement parce qu'il peut suffire de changer ou de supprimer un médicament, ou encore d'apprendre une autre technique d'autogestion, pour vous aider à vous sentir mieux aujourd'hui. Votre qualité de vie est importante et vous ne pouvez pas en profiter lorsque vous vous sentez mal !

POINTS IMPORTANTS

- Apprenez à gérer les effets secondaires causés par votre traitement.
- Si les techniques que vous utilisez n'ont pas l'efficacité recherchée, collaborez avec votre équipe soignante pour élaborer un meilleur plan.
- Essayez de contrôler vos effets secondaires avant qu'ils ne prennent trop d'ampleur. C'est particulièrement le cas pour les douleurs et les nausées. Prenez vos médicaments régulièrement en respectant votre ordonnance.
- Sachez que vos effets secondaires peuvent être contrôlés. Demandez de l'aide si vous ne vous sentez pas bien.
- Buvez en quantité suffisante (par exemple de l'eau ou des jus de fruits).
- Si vos effets secondaires ne sont pas contrôlés, il vous sera difficile de faire de l'exercice.

CHAPITRE 4

ÉTABLIR DES OBJECTIFS
POUR INTÉGRER L'EXERCICE
À VOTRE VIE

L'excuse la plus souvent invoquée par les gens qui ne font pas d'exercice est « Je suis trop fatigué pour faire du sport ! » Ou encore « Je suis trop occupé, comment pourrais-je trouver le temps de faire de l'exercice ? » La fatigue est un effet secondaire foudroyant et malheureusement très fréquent des traitements du cancer, mais ce n'est pas une raison pour ne pas faire de l'exercice. La plupart de mes patients remarquent que le meilleur moment pour faire de l'exercice est lorsqu'ils se sentent le plus mal. Cela peut manquer de logique, mais le fait de dépenser de l'énergie – dans une mesure raisonnable – génère une énergie supplémentaire. Lorsque vous êtes fatigué et que vous vous forcez à bouger, vous retrouvez de l'énergie et vous vous sentez mieux.

Entreprendre un programme d'exercices représente un défi, ne serait-ce que parce que vous êtes confronté au traitement du cancer ou êtes en phase de rétablissement. Qu'est-ce qui nous empêche habituellement d'atteindre nos objectifs ? Des excuses. Nous utilisons les excuses pour cacher les limites que nous nous sommes imposées ainsi que notre peur de l'échec. Ces limites sont des barrières difficiles à franchir lorsque nous cherchons à atteindre un objectif, qu'il s'agisse ou non d'exercice physique. Ainsi, nous inventons des excuses qui nous conviennent plus ou moins, et elles se transforment en barrières qui nous empêchent d'aller jusqu'au bout.

Ce que je recommande à tous mes patients afin de demeurer concentré sur votre objectif, c'est de noter les exercices que vous pratiquez. Indiquez le type d'exercice, la durée, l'intensité sur l'échelle de perception de l'effort (se reporter au chapitre 5) et ce que vous avez ressenti pendant et après l'exercice. Inscrire ces détails dans votre carnet ne prendra qu'une minute et vous fournira une mine de renseignements pour vous guider et vous motiver. Si vous sautez une séance d'exercices, indiquez-en la raison. Vous pourrez non seulement suivre les progrès que vous accomplirez, mais aussi repérer les excuses et les barrières qui viennent bloquer votre chemin.

Il est temps de vous pencher sur ce qui vous empêche de pratiquer une activité physique. Quels sont vos blocages personnels et vos comportements autodestructeurs? La plupart des gens comprennent que le sport est bénéfique, mais ils ont peur de se lancer dans une nouvelle activité et d'échouer. Faites face à votre peur. La croyance que nous sommes incapables d'atteindre nos objectifs personnels est souvent ce qui nous empêche de profiter pleinement de notre potentiel. Bien souvent, la peur reliée à cette croyance nous empêche même d'essayer.

Fiez-vous à votre force intérieure pour modifier vos vieilles habitudes et dépasser les limites et attentes que vous vous êtes imposées. Ne portez pas attention à ce que les autres peuvent penser de vous. Est-ce si important? Ayez la volonté de faire ce qui vous tient réellement à cœur. Libérez-vous des vieilles habitudes qui vous limitent et qui vous empêchent de profiter pleinement de la vie et de la considérer comme une merveilleuse aventure.

FIXEZ-VOUS UN OBJECTIF

Le fait d'avoir un objectif nous donne un but et une raison de nous lever pour faire de l'exercice. Choisissez un événement prévu à une date dans les deux à trois mois à venir et pratiquez votre activité physique en fonction de cet objectif. Pour certaines personnes, il peut s'agir de sortir de l'hôpital, de marcher dans le parc avec leur groupe de marche, ou de marcher dans le cadre d'une collecte de fonds locale pour la recherche sur le cancer. Quel que soit votre objectif, faites en sorte qu'il soit réaliste et réalisable. Le fait d'avoir un partenaire, un chien ou un autre compagnon d'exercice aide à respecter des horaires réguliers, et un carnet de bord vous permettra de surveiller votre progression.

Janice avait 38 ans et vivait seule avec ses deux enfants lorsqu'on lui a diagnostiqué un lymphome. Elle se rappelle avoir entendu le médecin lui apprendre qu'elle avait un lymphome mais pas le reste de ses propos, tant elle était terrifiée pour ses enfants et son avenir. Heureusement, sa sœur cadette Sarah était avec elle et avait pu écouter ce que le médecin avait dit et en informer sa sœur plus tard. Lorsque Janice a commencé son traitement, elle avait peur et était persuadée qu'il l'empêcherait de bien vivre.

Voici ce que m'a dit Janice à propos des répercussions de l'exercice physique sur son humeur, sur son comportement et sur le regard qu'elle portait sur la vie en général : « J'étais en colère et je passais la plupart de mon temps sur le sofa, déprimée. Je ne méritais pas ça [le cancer]. Lorsque ma sœur m'a poussée à m'inscrire au programme En forme pour combattre le cancer, j'étais sceptique et je manquais de motivation. Toutefois, j'ai pu rapidement me rendre compte que je reprenais chaque jour un peu plus confiance en moi parce que je voyais que je me rapprochais de mon objectif. À la fin de la deuxième semaine, mon comportement et le regard que je portais sur la vie avaient changé, et je commençais à me sentir forte à nouveau. Comprendre que j'étais toujours capable d'atteindre mes objectifs m'a donné confiance et m'a permis de retrouver l'espoir. J'ai maintenant la sensation que chaque jour est un cadeau qu'il faut apprécier et chérir.»

UNE QUESTION D'ENGAGEMENT

Notez vos réponses aux questions suivantes : Avez-vous décidé de faire de l'exercice ? Pour quelles raisons faites-vous de l'exercice ? Pouvez-vous vous engager à pratiquer une activité physique d'au moins 10 à 30 minutes, trois fois par semaine ? Pouvez-vous vous imaginer commencer un programme d'exercices ? Pouvez-vous vous imaginer respecter ce programme ? Qu'est-ce qui vous empêcherait de réussir ? Quelles sont vos limites personnelles ? Quelles sont vos peurs ? Quelles excuses pourriez-vous invoquer pour abandonner le programme ? Certaines des excuses qui reviennent le plus couramment sont l'inconfort causé par l'exercice ou encore le fait d'être seul pour faire de l'exercice ou de se sentir gêné. Qu'est-ce qui pourrait vous aider à continuer le programme ? De nombreuses personnes ont besoin d'un partenaire d'exercice ou d'un endroit où elles ne se sentiront pas gênées par rapport à leur corps, et d'autres trouvent que le fait de se joindre à un groupe les aide à respecter leur programme. Une fois que vous aurez examiné les raisons pour lesquelles vous entreprenez le programme En forme pour combattre le cancer et aurez repéré certains des obstacles potentiels à votre réussite, nous pourrons commencer à chercher des moyens de faire tomber les barrières qui vous empêchent d'atteindre vos objectifs en matière d'exercices et concernant vos objectifs de vie.

CONSEILS POUR RÉUSSIR UN PROGRAMME D'EXERCICES

Il est évident que le fait de commencer un programme d'exercices représente un défi, surtout au début ou en plein milieu du traitement, ou encore si vos tentatives d'exercices ont été déplaisantes ou se sont soldées par un échec. Toutefois, pour de nombreuses personnes, le diagnostic du cancer est un rappel à l'ordre pour prendre leur vie en main. Je pense que les modifications que nous apportons à notre style de vie sont souvent motivées par la peur de la mort ou de l'invalidité, ou encore par le désir de rester en vie pour les personnes que l'on aime. Ma patiente Lori a commencé à faire de l'exercice le jour où elle a appris que sa mammographie révélait la présence d'une masse très suspecte. Depuis, elle n'a jamais cessé de faire du sport et elle affirme que l'activité physique qu'elle a pratiqué avant son opération chirurgicale a considérablement facilité son rétablissement. Lori conseille maintenant à tout le monde de commencer à faire de l'exercice avant d'entamer un traitement et de trouver un ami avec lequel pratiquer cette activité. Les conseils suivants proviennent de Lori et de nombreux autres patients qui ont trouvé ces idées utiles pour intégrer avec succès à leur vie un programme d'exercices régulier.

- Analysez les bienfaits de l'exercice physique. Si vous comprenez à quel point vous tirez profit d'une activité physique, vous serez plus motivé. Plus vous en ressentirez les bienfaits, et plus vous serez motivé à continuer. Ces bienfaits seront la récompense de votre constance, et c'est la motivation dont beaucoup de personnes ont besoin pour continuer à faire de l'exercice.

- Notez toutes les raisons qui vous poussent à pratiquer une activité physique. Au cours des prochains jours, notez toutes celles auxquelles vous pouvez penser. Gardez la liste dans un endroit où elle restera visible, par exemple sur votre réfrigérateur ou sur le miroir de la salle de bains, de façon à pouvoir la consulter de temps en temps. Les raisons suivantes peuvent faire partie de votre liste :

  - Me sentir mieux pendant mon traitement du cancer.
  - Me rétablir plus rapidement après mon opération chirurgicale et mon traitement.
  - Avoir plus d'énergie pour consacrer du temps à ma famille.
  - Pouvoir porter tous les vêtements qui sont dans mon armoire.
  - Vivre longtemps et avoir une vie plus saine.
  - Me sentir plus à l'aise lorsque je me trouve dans un lieu public.
  - Être capable de monter les escaliers sans être à bout de souffle.

Il est important de dresser une liste de vos motivations. Lorsque votre enthousiasme diminue, revoyez toutes les raisons pour lesquelles vous avez décidé de faire de l'exercice régulièrement et vous devriez retrouver votre motivation. J'ai remarqué que ce simple truc fonctionnait très bien pour des centaines de patients.

- Choisissez un moment qui sera réservé à la pratique d'une activité physique. J'ai pu observer que le taux de réussite est plus élevé lorsque les gens font de l'exercice tôt le matin ou pendant leur heure de lunch. Une fois que vous avez établi l'horaire qui vous convient, préservez ce moment et faites-en une priorité. Ce sera d'autant plus facile pour vous de transformer l'exercice physique en une habitude de vie. Si vous repoussez le moment de l'exercice à la fin de la journée, d'autres activités viendront s'immiscer, comme faire les courses, récupérer les enfants, ou même rester coincé dans un embouteillage !

- Assurez-vous de rendre des comptes. Trouvez un partenaire d'exercice. Les recherches démontrent que les personnes qui partagent cette activité avec un ami ou un groupe ont plus de chances de respecter leur programme. Si vous savez que vous devez rencontrer un ami à 7 h au coin de la rue, vous serez plus motivé. Après tout, on compte sur vous. De nombreuses personnes m'ont confié être plus efficaces lorsqu'elles impliquaient leur famille, ce qui a également l'avantage d'apprendre aux enfants et aux petits-enfants la valeur de l'exercice physique. Qu'est-ce qui m'aide ? Mon chien. Qu'il pleuve ou qu'il fasse beau, Max compte sur moi et me rend responsable de nos activités quotidiennes. Il n'oublie jamais de me rappeler si je suis en retard ou, le ciel nous en préserve, si nous ne faisons pas notre sortie quotidienne! Les chiens sont de formidables compagnons d'exercice.

- Fixez-vous des objectifs. Un à long terme et plusieurs à court terme. Chaque fois que vous en atteignez un, fêtez votre réussite. Atteindre ses objectifs fait du bien et vous permet de vous transformer progressivement en vrai sportif régulier!

- Récompensez-vous lorsque vous atteignez vos objectifs. Ron m'a raconté que chaque fois qu'il atteignait son objectif mensuel d'exercices, il s'offrait une séance de cinéma. Sally, qui est originaire de Seattle, se récompense en mettant de l'argent dans une tirelire à la fin d'une semaine d'exercices réussie. Elle utilise cet argent pour se faire plaisir et s'acheter quelque chose qu'elle ne s'offrirait habituellement pas.

- Inscrivez vos exercices dans un carnet. Faites un suivi de leur durée et décrivez-les. Après quelques semaines, calculez la durée hebdomadaire que vous investissez dans votre pratique de l'exercice. Vous serez certainement surpris.

- Faites de votre activité physique un moment agréable. Joignez-vous à un groupe d'amis, occupez-vous de votre chien ou allez à un endroit que vous aimez lorsque vous en avez le temps. Si vous faites de l'exercice à l'extérieur en écoutant de la musique, utilisez des écouteurs ou, si vous êtes à l'intérieur, mettez de la musique ou installez la télévision à un endroit où vous pouvez facilement la voir. Si vous préférez faire de l'exercice dans le calme et la tranquillité, pratiquez-le seul. Faites tout ce que vous pouvez pour rendre cette pratique plus agréable. S'il s'agit d'un moment de plaisir, vous serez plus enclin à respecter votre programme.

- Évitez les blessures en portant de bonnes chaussures et des vêtements confortables.
- Constatez vos résultats et appréciez les compliments que vous recevez pour vos accomplissements. Pour certaines personnes, les compliments et les encouragements de leurs amis représentent la meilleure motivation qui soit.

FEU VERT

Vous devriez commencer par vous féliciter. En lisant ce livre, vous faites le premier pas pour rendre votre corps et votre esprit plus forts et pour guérir de votre cancer, ce qui exige persévérance et détermination. Familiarisez-vous avec les barrières qui transforment le feu vert (vous suivez votre programme d'exercices avec succès) en feu rouge (vous trouvez des excuses pour ne pas pratiquer d'exercice physique). Vous aurez des hauts et des bas et à l'occasion vous ne verrez aucun changement. Peut-être rencontrerez-vous même des défis inattendus posés par votre traitement, mais ne laissez pas l'impatience ou le découragement vous empêcher de poursuivre votre recherche d'une meilleure santé physique et mentale. Continuez à rechercher le feu vert et ne laissez rien se mettre sur votre route, même si vous vous sentez découragé ou que d'autres barrières viennent se dresser devant vous. Affrontez vos excuses et les barrières vous empêchant de faire de l'exercice en créant votre propre plan pour les dépasser.

Peut-être venez-vous à peine de commencer le programme En forme pour combattre le cancer et avez-vous passé trois semaines très efficaces. Vous sentez que votre corps et votre esprit ne font qu'un, et que vous pouvez, pour la première fois de votre vie, mener à bien un programme d'exercices. Mais le feu rouge est au coin de la rue et s'impose, comme une barrière que vous n'aviez pas prévue. Quel est votre plan pour faire face à l'inattendu? Suivez les suggestions formulées dans les prochaines sections de ce chapitre pour élaborer un plan qui vous permettra de rester sur la bonne voie pour réussir à atteindre vos objectifs à court et à long termes et pour continuer à bénéficier du feu vert.

DÉTRUIRE LES BARRIÈRES

Commencez par élaborer un plan pour détruire vos barrières. Il est important que vous réfléchissiez sérieusement aux trois questions suivantes :

Que dois-je faire ?

Réfléchissez à votre programme d'exercices et à vos objectifs pour la semaine. Vos objectifs sont-ils raisonnables et réalisables? Qu'est-ce qui pourrait vous empêcher de les atteindre? Faites une liste des barrières et des excuses potentielles. Fixez-vous des objectifs atteignables. Et rappelez-vous que votre priorité est la réussite !

Pourquoi dois-je le faire ?

Lorsque vous aurez pensé aux activités que vous voulez pratiquer pendant la semaine, réfléchissez à la raison pour laquelle vous suivez ce programme. Pourquoi vous investissez-vous dans ce programme? Quel est votre plan de secours si vous ne parvenez pas à atteindre vos objectifs? De quelle façon modifierez-vous vos objectifs futurs si vous n'atteignez pas ceux de cette semaine? Peut-être avez-vous fait preuve d'un peu trop d'ambition lorsque vous vous êtes fixé des objectifs pour la première semaine du programme. Repensez à ce que vous avez accompli. Comment vous sentiez-vous? Vous êtes-vous surmené pour atteindre vos objectifs de la semaine? Évaluez honnêtement votre activité physique pour la semaine, puis revoyez vos objectifs pour la semaine suivante afin de les rendre réalisables. Il est difficile de se fixer des objectifs réalisables lorsqu'on commence la pratique d'un exercice physique pour la première fois, et même si vous faites régulièrement de l'exercice, les traitements du cancer peuvent rapidement affecter votre endurance et vos forces. Ne soyez donc pas trop dur envers vous-même si vous n'atteignez pas vos objectifs; prenez simplement le temps de bien évaluer les prochains que vous vous fixerez pour les rendre réalistes.

Comment m'en suis-je tiré?

À la fin de la semaine, évaluez l'efficacité de votre plan. Avez-vous réussi à atteindre les objectifs que vous vous étiez fixés? Étaient-ils raisonnables? Si vous ne les avez pas complètement atteints, retravaillez votre plan pour la semaine suivante. Il n'y a rien de mal à modifier ses objectifs. C'est la chose intelligente à faire, plus particulièrement si vous avez eu des difficultés à atteindre ceux de la semaine précédente. En étant honnête envers vous-même par rapport à ce que vous êtes réellement capable d'accomplir, vous serez en mesure d'établir un plan d'exercices efficace dont vous pourrez profiter.

Le fait d'atteindre vos buts vous permet de rêver à des objectifs encore plus ambitieux et de trouver l'inspiration pour aller un peu plus loin. Si vous affrontez les barrières que vous vous êtes dressées en ayant à l'esprit votre réussite non seulement dans votre pratique d'exercices mais aussi dans votre vie, vous vous sentirez plus optimiste, ce qui vous aidera à vous tourner vers l'avenir. Laurel avait 59 ans lorsqu'elle a commencé le programme En forme pour combattre le cancer. Elle était sur le point de terminer un éprouvant traitement de chimiothérapie pour soigner son cancer du côlon et elle décrit son expérience de l'exercice physique de la façon suivante :

> **Les changements physiques et émotionnels qui sont survenus dès mes premières semaines de pratique ont été encourageants. J'ai examiné mes propres obstacles (je n'avais jamais réussi à faire de l'exercice physique, j'étais trop fatiguée, j'avais trop de choses à faire) et je les ai affichés sur**

Rendez l'exercice amusant. Ceci est le visage réjoui d'une femme qui va faire de la plongée en apnée pour la première fois de sa vie.

mon réfrigérateur à côté de mes objectifs et de ma liste des raisons de faire du sport. Je les regardais quotidiennement, et un jour, j'ai réalisé que j'arrivais à atteindre des objectifs dont je ne me serais jamais imaginée capable.

LE MOUVEMENT
EST UNE FORME D'EXERCICE

Bien souvent, nous ne réalisons pas que lorsque notre corps est en mouvement, qu'il s'agisse de pousser le caddie au supermarché, de monter des escaliers ou de courir dans les bois, nous faisons de l'exercice. De nombreuses personnes s'imaginent qu'elles vont échouer parce qu'elles pensent qu'elles doivent pratiquer un certain type d'exercices et que ceux-ci doivent être déplaisants. En réalité, de petits exercices pratiqués régulièrement peuvent vous apporter des bienfaits incroyables. Il existe cependant une condition : vous devez pratiquer votre activité physique avec régularité. Vous devez l'intégrer à votre vie, que vous montiez les étages à pied au lieu d'utiliser les escaliers roulants ou que vous vous gariez au bout du parking pour marcher plus longtemps jusqu'à votre bureau ou au centre commercial. Ces mouvements quotidiens sont profitables et plus vous en ferez, plus votre corps sera musclé et en bonne santé. Maintenez des objectifs raisonnables et réalisables.

RÉÉVALUER SES OBJECTIFS

Grant travaillait autrefois dans une mine de charbon. Âgé de 77 ans, il était atteint d'un cancer du poumon. L'objectif que s'était fixé Grant était d'avoir suffisamment d'énergie pour monter les deux escaliers menant à son appartement au moins une fois par jour au lieu de prendre l'ascenseur. Lorsqu'il se fixa cet objectif pour la première fois, Grant ne réalisait pas à quel point il était affaibli, et il lui fallut lutter pour réussir à monter la première volée de marches, à un point tel qu'il dut s'arrêter souvent pour s'asseoir et reprendre des forces. Grant réévalua donc son objectif et décida qu'au cours des trois semaines suivantes, il monterait une volée de marches à pied au moins une fois par jour. Étant par nature têtu et déterminé, il commença à compliquer les choses un peu plus chaque semaine, si bien qu'à la fin des trois semaines, il était capable de monter les deux escaliers deux fois par jour, et même trois fois par jour lorsqu'il avait plus d'énergie. En divisant son activité physique en courtes séances, il fut en mesure d'atteindre son objectif et de monter jusqu'à son appartement à pied, doucement, mais sans avoir à s'arrêter.

SE FIXER DES OBJECTIFS

Nous avons tous besoin de stratégies pour poursuivre nos efforts malgré les périodes de démotivation, de passage à vide ou les autres moments de découragement. Une façon simple de rester motivé et concentré sur votre programme d'exercices consiste à vous fixer des objectifs. Votre réussite ne sera possible que si vous vous fixez des objectifs raisonnables et réalisables. Nos objectifs nous motivent, mais ils doivent nous être propres et représenter ce qu'il y a de mieux pour nous. Établir des objectifs est essentiel non seulement pour prendre de bonnes habitudes en matière d'exercice, mais aussi pour mener une vie productive et efficace. Lorsque nous n'avons pas d'objectif ou de plan en matière d'exercice physique, ou dans notre vie en général, nous avons tendance à traîner et à ne pas faire les choses, ou du moins à ne pas les faire de façon aussi efficace que nous le devrions. Le fait d'établir des objectifs fournit un plan d'action, comme une sorte de schéma directeur, pour atteindre vos buts en ce qui a trait au sport, mais aussi à la réalisation de vos autres objectifs de vie.

Vous devez vous poser plusieurs questions. Pourquoi est-ce important pour vous d'atteindre cet objectif? Depuis combien de temps y pensez-vous? Qu'avez-vous fait pour qu'il vous soit possible de l'atteindre? Est-il réaliste? Quelles étapes devez-vous franchir? Cette dernière question devrait vous aider à diviser vos objectifs en étapes pour les rendre plus faciles à atteindre. À mesure que vous franchirez de nouvelles étapes, votre confiance et vos capacités s'amélioreront.

Les objectifs que vous vous posez doivent vous être propres et ne doivent pas refléter l'opinion d'une autre personne. Il est important que vous désiriez atteindre votre objectif et que vous soyez déterminé. Il existe plusieurs façons de vous aider à être déterminé. Tout d'abord, fixez-vous des objectifs raisonnables et engagez-vous à les atteindre en discutant avec vos amis et votre famille. Augmentez vos probabilités de réussite en vous engageant «publiquement». En déclarant ouvertement les efforts que vous avez l'intention de faire, vous permettrez à vos amis et à votre famille de vous soutenir dans votre démarche. Il est possible qu'ils vous interrogent sur votre progression et même qu'ils veuillent se joindre à vos séances d'exercice. Si vous informez votre entourage de votre objectif, par exemple de marcher pour recueillir des fonds pour le cancer ou de parcourir à vélo une distance de 80 kilomètres, ils voudront probablement vous soutenir et vous aider à réussir. La force dont vous bénéficiez en parlant de vos objectifs à votre entourage vous aidera à continuer les jours où vous

vous sentirez fatigué et lorsque vous ne serez pas au mieux de vos capacités.

Il existe toujours des personnes qui, consciemment ou non, essaient de saboter nos plans. Certains membres de la famille ou des amis prévenants s'opposeront à ce que vous fassiez de l'exercice parce qu'ils auront peur que vous vous blessiez. Parfois, ils peuvent même être jaloux de votre énergie, de votre discipline et de votre détermination à changer votre mode de vie. Il serait facile de vous dire « je garde mes distances avec ces personnes », mais lorsque ces personnes sont votre conjoint ou votre meilleur ami, cela devient plus délicat. Le changement fait souvent peur, mais si vous expliquez à ces personnes les raisons pour lesquelles il est important pour vous et pour votre santé d'être plus actif physiquement, cela peut être suffisant pour faire disparaître leurs peurs et leurs inquiétudes. Lorsque les gens comprennent que la pratique d'exercices n'est pas dangereuse et qu'ils en apprennent les bienfaits potentiels sur votre santé, leur attitude change souvent et ils deviennent de vrais supporters !

Le fait de noter vos objectifs contribue également à votre concentration et à votre motivation. De cette façon, vous voyez plus clairement les étapes qu'il vous faudra franchir pour les atteindre. Si vous tenez un journal de vos exercices sur une base régulière, vous verrez clairement vos progrès, ce qui, en soi, est une bonne motivation.

AYEZ UN PLAN

Jerry avait 63 ans lorsque son cancer du poumon a été diagnostiqué. Depuis ses jeunes années passées dans la marine, Jerry avait toujours pris beaucoup de plaisir à fumer. Il aimait le goût de la cigarette, la sensation de la cigarette entre ses doigts et les volutes de fumée qui s'enroulaient au-dessus de son nez. Jusqu'à ce que son cancer du poumon soit diagnostiqué. Après une longue opération chirurgicale, Jerry a décidé d'arrêter de fumer, ce qu'il a réussi à faire par un sevrage brutal. Il était fier de s'arrêter aussi rapidement, mais après plusieurs semaines passées sans cigarettes, il a commencé à se sentir déprimé et mal en point. Sa femme Rosie a alors réalisé que la dépression et l'irritabilité de Jerry étaient non seulement imputables à son traitement de chimiothérapie mais aussi à l'absence de cigarettes. Elle lui a donc proposé d'aller marcher pour sortir de la maison. C'était le printemps et Rosie pensait que le fait de sortir et de profiter de l'air frais le mettrait de bonne humeur. Cette idée plut à Jerry et ensemble ils firent l'effort d'aller marcher après le repas, l'ancien moment de prédilection de Jerry pour fumer. Rosie et Jerry firent tous les deux de gros efforts pour intégrer l'activité physique à leur vie. Ils ne savaient pas comment estimer s'ils étaient allés trop loin ni comment trouver leur rythme. Lors d'une de leurs sorties, ils s'éloignèrent tellement que Jerry n'eut pas la force de retourner à la maison à pied et dut prendre le bus. À d'autres reprises, ils se rendirent tellement loin qu'à leur retour Jerry dut aller dormir et il se sentit trop épuisé pour faire de l'exercice pendant plusieurs jours. Lorsque nous nous sommes rencontrés, je leur ai suggéré d'élaborer un plan avec des objectifs hebdomadaires. Rosie était d'accord et Jerry n'était pas contre, si Rosie s'occupait de préparer le plan. Jerry était épuisé par tous les efforts qu'il avait faits. Rosie et moi avons donc élaboré ensemble un plan d'exercices progressif. Plusieurs semaines après, Jerry m'a dit: « Lorsque Rosie et moi avons des objectifs et un plan, tout va bien. En fait, ça a été une révélation. L'exercice m'a sorti de ma dépression et m'a aidé à croire en moi-même, à affronter l'épreuve de mon cancer du poumon et à accepter cette expérience en étant plus solide physiquement et émotionnellement.»

TENIR UN CARNET D'EXERCICES

Je vous suggère de faire un simple suivi des exercices que vous avez effectués, de l'endroit où vous avez pratiqué votre activité physique, de sa durée, de son intensité, du temps qu'il faisait et de ce vous avez ressenti. Certaines personnes aiment s'attribuer une note allant de A (vous vous êtes senti très bien et votre entraînement a été exceptionnel) à F (vous n'avez pas réussi à atteindre vos objectifs ou vous ne vous sentiez pas bien). Si vous avez recours à un système de notation, je vous suggère de diminuer l'intensité de votre entraînement si vous vous êtes attribué un C. Faites moins d'efforts et réduisez éventuellement la distance et la durée de votre exercice. Si le jour suivant vous avez encore la sensation que vous pourriez vous attribuer un C, divisez votre entraînement en deux. Les jours où vous vous attribuez un D, un E ou un F, je vous recommande fortement d'abandonner l'entraînement et d'aller vous reposer. Il ne s'agit pas de remplacer votre entraînement par d'autres tâches, mais plutôt de lire, de jouer ou de travailler à l'ordinateur, ou encore de regarder un film. Vous devez vous en tenir à des activités reposantes. Si vous commencez à collectionner les D, les E et les F, je crois que vous devez avoir une discussion honnête avec vos petites voix intérieures. Êtes-vous réellement fatigué? Êtes-vous en train de vous rendre malade? Avez-vous fait trop d'efforts sur l'entraînement ou utilisez-vous tout simplement le système de notation comme une excuse supplémentaire pour ne pas effectuer vos exercices quotidiens?

Voici quelques exemples de renseignements que vous pourriez noter dans votre carnet (se reporter au chapitre 5 pour obtenir une définition de l'«intensité de l'effort perçue».)

Date: 23/07/01
Heure: 17 h 00
Temps: 31,5 °C, humide et nuageux
Endroit: Aller-retour entre la maison et le parc, 1,2 km.
Activité: Marche de trois minutes pour m'échauffer. Alternance de marche normale et de marche rapide pendant 7 minutes. Marche de deux minutes en retournant à la maison.
Durée: 12 minutes
Intensité de l'effort perçue: 13
Note: B+. J'avais trop chaud pour faire davantage d'efforts. Je devrais boire plus d'eau avant et pendant l'exercice physique.

Date: 25/07/01
Heure: 8 h 00
Temps: 20 °C, ensoleillé et pas de vent
Endroit: Aller-retour à la ferme, 70 km.
Activité: Vélo avec le groupe. Rythme régulier mais difficulté dans la côte.
Durée: 3 heures
Intensité de l'effort perçue: 14
Note: A. Je me sentais vraiment bien. J'avais les jambes reposées et j'ai donc pu accélérer le rythme.

Date: 26/07/01
Heure: 8 h 00
Temps: Environ 23 °C à l'intérieur.
Endroit: À la maison
Activité: Programme d'exercices de résistance « A »
Extension des jambes: 3 séries de 8 avec bande élastique noire.
Flexion des biceps: 3 séries de 12 avec bande élastique rouge. Trop facile.
Kicks sur le côté: 3 séries de 8 avec bande élastique bleue. Difficile!
Extension dorsale: 3 séries de 10 avec bande élastique bleue.
Flexion des jambes: 3 séries de 8. Difficile.
Presse à pectoraux: 3 séries de 9 avec la bande élastique rouge.
Repli des genoux sur l'abdomen: environ 50 fois.
Durée: 31 minutes
Intensité de l'effort perçue: entre 14 et 15
Note: A. Je me sentais très bien et je commence vraiment à me muscler. Je dois augmenter la résistance de la bande élastique que j'utilise pour la flexion des biceps.

Certaines personnes préfèrent inscrire leurs exercices d'aérobie dans un carnet ayant la forme d'un calendrier. Voici un exemple de carnet d'exercices de type calendrier :

1	2	3	4	5	6	7
Marche de 15 minutes. Intensité de l'effort perçue: 12. Note: B. J'ai l'impression de me traîner.	Jour de repos	Marche de 20 minutes; 3 minutes à une vitesse rapide. Intensité de l'effort perçue: entre 12 et 14. Note: A	Jour de repos	Marche de 30 minutes à un rythme régulier. Intensité de l'effort perçue: 13. Note: A. Je me sens très bien.	Jour de repos	Marche en groupe pendant 30 minutes. Rythme modéré. Intensité de l'effort perçue: 13. Note: A-
8	**9**	**10**	**11**	**12**	**13**	**14**
Jour de repos	20 minutes de marche dont 3x2 minutes à un rythme rapide. Intensité de l'effort perçue: entre 13 et 15. Note: A++	Jour de repos, traitement de chimio.	Jour de repos pour me remettre du traitement.	Marche de 12 minutes à un rythme lent. Intensité de l'effort perçue: 12. Note: B+. Je me sentais mieux après la marche.	Marche de 15 minutes à un rythme modéré. Intensité de l'effort perçue: 13. Note: A-	Jour de repos qui me fait beaucoup de bien.

Certaines personnes trouvent qu'il leur est utile de noter quotidiennement les exercices de résistance qu'elles effectuent (se reporter à la page suivante). Vous pouvez ainsi voir quel poids vous avez utilisé pour les bandes de résistance la dernière fois que vous avez fait vos exercices et vous rendre compte de vos progrès. Vous trouverez plus loin un exemple de carnet d'exercices de résistance pouvant être utilisé dans le cadre du programme d'exercices de résistance En forme pour combattre le cancer. Il est possible d'adapter ce carnet aux exercices que vous pratiquez s'ils sont différents du programme En forme pour combattre le cancer.

Tenir un carnet des exercices peut être très utile pour vous permettre de voir votre progression. C'est la meilleure source de rétroaction qui soit. Le carnet est également un moyen formidable de comprendre pourquoi vous vous sentez moins en forme qu'il y a quelques semaines : Avez-vous augmenté la durée ou l'intensité de votre activité physique ? Les notes que vous vous attribuez sont-elles en baisse ? Pouvez-vous voir apparaître une tendance suggérant que vous vous épuisez ou que vous faites trop d'efforts à l'entraînement ? Votre carnet vous révèle toutes ces choses si vous êtes honnête et si vous faites preuve de rigueur lorsque vous notez vos impressions.

En ce qui me concerne, j'aime écrire dans mon carnet ce genre de phrase : « Je me suis arrêtée pour regarder les grues du Canada se reposer dans le champ de Jim » ou encore « Côte difficile de 2,7 kilomètres pour arriver en haut d'un col. Une fois en haut, j'ai senti une agréable odeur de pin et le vent était frais parce qu'il avait soufflé au-dessus des neiges accumulées au sommet. Descente exaltante en retournant vers la vallée. » Lorsque je note les endroits précis où je suis allée courir ou marcher, mon carnet devient un journal de mes voyages et de

EXERCICES DE RÉSISTANCE «A»

Exercices	Date		Date		Date	
	Séries et répétitions	Couleur de bande élastique/ Poids	Séries et répétitions	Couleur de bande élastique/ Poids	Séries et répétitions	Couleur de bande élastique/ Poids
Flexion des jambes						
Extension dorsale						
Extension des jambes						
Écarté couché						
Adduction des hanches						

mes aventures que j'ai plaisir à relire, et c'est aussi un moyen formidable de me rappeler des moments privilégiés passés avec ma famille ou mes amis à faire de la randonnée, du vélo, ou encore les moments passés ensemble lors d'une journée de récupération.

ENGAGEZ-VOUS ENVERS VOUS-MÊME

Lorsque vous décidez de commencer votre propre programme d'exercices, faites-vous la promesse de vous engager à suivre ce programme pendant au moins 12 semaines. Ne vous laissez pas tomber.

Regardez ensuite votre plan de destruction de vos barrières et déterminez ce qui vous aidera à persévérer et à maintenir le feu au vert. Il est facile d'abandonner, bien plus facile que de trouver la discipline nécessaire pour s'engager à améliorer votre santé en faisant de l'exercice. La régularité dans la pratique de vos exercices est une des promesses les plus importantes que vous puissiez vous faire.

Certaines personnes trouvent qu'il est plus facile de tenir leur promesse si elles ont signé un contrat avec elles-mêmes pour faire de l'exercice pendant 12 semaines. Vous trouverez à la page suivante un exemple de contrat. Si le fait de signer un contrat et de l'afficher sur votre miroir dans la salle de bains ou sur le réfrigérateur vous aide à tenir votre promesse, alors faites-le.

Engagez-vous à faire de l'exercice, respectez cet engagement et vous verrez combien vous allez changer, tant sur le plan physique qu'émotionnel. Si vous tenez votre promesse pendant 12 semaines, vous serez prêt pour la prochaine étape : intégrer l'activité physique à votre vie. Si vous faites ce choix, vous en retirerez des bienfaits profitables à votre santé et à l'ensemble de votre vie pour les années à venir.

CONTRAT DU PROGRAMME
EN FORME POUR COMBATTRE LE CANCER

Je, soussigné(e) _____, consens à respecter le programme d'exercices En forme pour combattre le cancer pendant 12 semaines. Je commencerai par dresser une liste complète des raisons pour lesquelles je désire entreprendre ce programme et de toutes les barrières et excuses que je pourrais rencontrer par la suite. Je m'efforcerai de me fixer des objectifs hebdomadaires raisonnables et réalisables et de faire un suivi de mon évolution dans mon carnet d'exercices. Je sais que si mes objectifs ne sont pas raisonnables, je ne réussirai pas, mais je sais également que je peux revoir ces objectifs pour les rendre réalisables. Je reconnais que certains obstacles à ma progression pourraient représenter des défis nécessitant une modification de mes objectifs mais que ces défis ne m'empêcheront pas de mener à bien le programme.

Je signe aujourd'hui ce contrat en présence de mon compagnon d'exercice, lequel est mon témoin.

_____

Signature

_____

Date

_____

Signature du témoin

_____

Nom du témoin

RÉSUMÉ

Plusieurs de mes patients ne réalisent pas à quel point ils peuvent être une inspiration pour les autres personnes et pour les autres patients. Le fait de voir d'autres personnes faire face au défi du cancer et entamer un programme d'exercices prouve aux patients qu'ils peuvent eux aussi prendre le contrôle de leur vie. Modifier ses vieilles habitudes et s'engager à faire de l'exercice et à mener une vie saine requièrent du courage et de la détermination, mais vous avez ces qualités nécessaires pour atteindre vos objectifs. Soyez constant et déterminé comme Adam, mon ami depuis 21 ans, qui a été diagnostiqué d'un cancer métastatique des testicules, qui a fait face à cette épreuve, et qui a appris énormément :

> J'ai vu la mort en face et je sais que mon heure n'est pas venue. Le programme En forme pour combattre le cancer m'a aidé à retrouver des forces et à me sentir plus en forme que je ne l'avais jamais été. Pas seulement sur le plan physique, mais aussi sur le plan émotionnel. Ce programme m'a aidé à traverser une période de transformation de ma vie.

POINTS CLÉS

- Entreprendre un programme d'exercices nécessite engagement et détermination, mais vous en récolterez les fruits.
- Examinez les barrières et les excuses qui vous empêchent de faire de l'exercice et élaborez un plan qui vous assurera la réussite.
- Fixez vos propres objectifs qui doivent être raisonnables et réalisables.

- Tenez un carnet de vos exercices pour pouvoir surveiller votre progression.
- Signez un contrat, engagez-vous envers vous-même à suivre le programme En forme pour combattre le cancer pendant 12 semaines, et voyez quels changements physiques et émotionnels se produiront.

CHAPITRE 5

PRINCIPES DE BASE DU PROGRAMME EN FORME POUR COMBATTRE LE CANCER

Vous avez maintenant une petite idée des nombreux bienfaits que vous pouvez retirer d'un programme d'exercices. La plupart des gens ne font pas d'exercice. Pourquoi? Parce qu'ils ont une aversion pour cette activité qu'ils trouvent déplaisante et qui prend de leur temps. De nombreuses personnes envisagent l'exercice physique comme une activité qui va entraîner inconfort et fatigue, et qui va les faire transpirer. Je ne veux pas que vous ressentiez de l'inconfort. L'exercice physique devrait être agréable et vivifiant, tant au niveau physique qu'émotionnel. Je vais maintenant vous présenter une approche différente de l'exercice qui transformera votre condition physique à un niveau tel que, peu importe où vous soyez – à l'hôpital ou chez vous en train de récupérer de votre traitement du cancer – et peu importe que vous soyez une personne inactive ou sportive, vous pourrez facilement l'intégrer à votre vie quotidienne. Mais revoyons tout d'abord les composantes d'un programme d'exercices.

COMPOSANTES DE L'EXERCICE

Bien que la recherche axée sur le lien entre le cancer et l'exercice physique en soit encore à ses débuts, la science évolue rapidement, en partie en raison des découvertes formidables faites dans le cadre des recherches portant sur le lien entre exercice et maladies cardiaques. Des principes de base comme l'intensité et la durée de l'exercice ou encore les types d'exercices fournissent aux chercheurs spécialisés dans le cancer une base solide leur permettant de perfectionner les recherches existantes sans avoir à effectuer d'études de grande envergure qui ne feraient que répéter une grande partie de ce qui a déjà été dit par des scientifiques ayant mené des travaux sur les patients atteints de maladies cardiaques et d'autres maladies.

Une prescription d'exercices se divise en quatre composantes :

1. Le type d'exercice
2. La fréquence (le nombre de fois où vous faites de l'exercice)
3. L'intensité (les efforts que vous faites)
4. La durée (combien de temps vous faites de l'exercice)

Le *type d'exercice* peut être *aérobique,* c'est-à-dire une activité rythmique soutenue nécessitant de l'oxygène comme source d'énergie (par exemple la marche) ou *anaérobique,* soit de courts exercices d'intensité élevée qui font appel à des sources d'énergie ne nécessitant pas d'oxygène (par exemple courir pour rattraper un bus). Les exercices de *résistance* (lever de poids) peuvent prendre la forme d'exercices d'aérobie ou d'anaérobie en fonction de la façon dont ils sont effectués.

La *fréquence* est le nombre de fois où vous faites de l'exercice. Cet aspect est important puisque la régularité est essentielle pour limiter les effets secondaires de votre traitement, comme la fatigue, et pour améliorer votre santé générale à long terme. Combien de temps et à quelle fréquence dois-je faire de l'exercice ? Ces deux questions sont celles qui sont posées le plus couramment. La réponse est « ça dépend », mais les recherches scientifiques démontrent que le rythme idéal est d'au moins 30 minutes d'exercice cinq fois par semaine pour conserver une bonne santé générale, mais évidemment pas lorsque vous débutez ! Si vous cherchez uniquement à renforcer vos jambes et à retrouver vos capacités physiques et une vie normale, faire de l'exercice 3 ou 4 fois par semaine sera suffisant pour voir votre endurance et votre condition physique s'améliorer rapidement. Si votre objectif est de faire de la compétition ou de vous investir dans une activité sportive qui exige plus d'endurance et de force que ce dont vous avez besoin pour vos activités courantes, vous voudrez peut-être augmenter votre pratique d'activité physique à cinq fois par semaine, mais le simple fait d'être plus actif, comme par exemple de monter les escaliers à pied au lieu de prendre l'ascenseur, sera bénéfique pour votre santé et pour votre condition physique.

L'*intensité* représente les efforts que vous effectuez pendant votre activité physique, et, comme je vais le démontrer, un programme d'intensité élevée n'est pas indispensable pour remarquer une amélioration. L'échelle d'intensité de l'exercice varie entre faible, modérée, élevée et ardue. Certains auteurs et plusieurs entraîneurs sportifs recommandent de surveiller la fréquence cardiaque pour déterminer l'intensité de l'exercice, en utilisant des moniteurs de fréquence cardiaque peu coûteux. Toutefois, pour les nombreuses personnes qui enta-ment un programme d'exercices pour la première fois ou qui veulent simplement avoir une vie plus active, les données générées par ce genre d'outil peuvent créer une confusion. Connaître les détails de votre fréquence cardiaque peut vous permettre de vous entraîner de façon scientifique à différents niveaux de fréquence cardiaque, lesquels correspondent à différentes intensités d'exercices, mais les données à ce sujet peuvent varier considérablement si vous recevez un traite-ment. Votre fréquence cardiaque peut également être influencée par la consommation de caféine ou d'alcool, par l'absorption de médicaments, par le stress ou par la maladie. La surveillance de la fréquence cardiaque peut également gâcher une partie du plaisir de l'exercice pour les personnes qui doivent se concentrer pour réussir à déchiffrer les infor-mations du moniteur.

L'échelle de perception de l'effort de Borg représente un moyen facile et fiable de surveiller l'intensité de vos exercices. Il vous suffit d'attribuer une note à votre niveau d'effort ou à l'intensité à laquelle vous travaillez sur une échelle allant de 6, qui correspond à une absence d'effort, à 20, qui correspond à l'effort maximal, tel qu'il est indiqué dans le tableau 1.

Pour que cette méthode soit efficace, vous devez apprendre à écouter votre corps et à déterminer l'intensité de votre res-piration et de votre activité physique. Si vous venez de com-mencer un programme d'exercices, votre objectif en matière de perception de l'effort devrait se situer entre 11 (marche ou exercices légers permettant de parler facilement) et 14 (marche et exercices plus intenses rendant la respiration plus difficile mais n'empêchant pas de parler), de façon à ce que vous vous sentiez bien et puissiez commencer à augmenter la durée de

Tableau 1

Échelle de perception de l'effort de Borg

6	Aucun effort
7	Effort extrêmement léger
8	
9	Effort très léger
10	
11	Effort léger
12	
13	
14	Effort assez difficile
15	Effort difficile (lourd)
16	
17	Effort très difficile
18	
19	Effort extrêmement difficile
20	Effort maximal

Pour utiliser correctement cette échelle, il est possible de consulter les directives fournies par Borg (voir G. Borg, *Borg's Perceived Exercise and Pain Scale,* Champaign, Human Kinetics Books, 1998) ou le dossier publié par Borg sur l'échelle de perception de l'effort.

l'exercice. Lorsque vous serez plus en forme, votre objectif en matière de perception de l'effort pendant l'exercice devra se situer entre 13 et 15.

Les recherches scientifiques ont démontré que la pratique d'un exercice générant une perception de l'effort située entre 13 et 15 est pratiquement équivalente à une fréquence cardiaque située entre 60 et 80 % de votre fréquence cardiaque maximale, ce qui est la fourchette optimale pour améliorer votre forme cardiovasculaire et votre santé. Si votre objectif est de commencer à vous entraîner en vue d'un événement ou d'une compétition en particulier, je vous conseille de suivre un entraînement basé sur la fréquence cardiaque, mais si vous voulez simplement améliorer votre santé et accroître votre niveau d'activité, cette méthode de notation de votre effort sera suffisante et vous permettra d'avoir l'esprit tranquille.

EXERCICES D'INTENSITÉ FAIBLE, MODÉRÉE OU ÉLEVÉE

Marcher lentement (à moins de 1 km/h), être assis devant l'ordinateur, regarder la télévision ou jouer aux cartes font partie des activités physiques de faible intensité. Ce sont toutes des activités qui n'augmentent pas votre fréquence cardiaque, qui ne vous font pas transpirer et qui n'apportent aucun bienfait à votre santé actuelle ou future. Les activités qui sont bénéfiques pour la santé exigent que vous bougiez davantage, et elles augmentent votre fréquence cardiaque et votre rythme respiratoire sans que vous en ressentiez forcément de l'inconfort.

Les activités comme la marche rapide, le cyclisme ou la nage sont modérées et peuvent avoir des répercussions bénéfiques sur la façon dont vous tolérez votre traitement et sur votre santé future. L'activité modérée est celle que je recommande. Les activités qui sont faciles à intégrer à vos habitudes quotidiennes resteront à vie, c'est pourquoi je suggère de commencer par la marche. Il est important que vous fassiez de l'exercice pendant votre traitement, mais ce sont les habitudes prises à long terme qui vous maintiendront en bonne santé pour l'avenir.

L'activité physique déplaisante à laquelle les gens pensent lorsque je leur suggère un programme d'exercices est l'activité d'intensité élevée. Ce type d'activité physique entraîne une importante accélération du rythme cardiaque, rend la respiration difficile et fait transpirer. Les exercices d'intensité élevée sont les types d'exercices qui incitent les gens à éviter complètement la pratique d'une activité physique, et l'accélération du rythme cardiaque qu'ils occasionnent ne s'apparente pas à celle que l'on ressent lorsque l'on monte une volée de marches. Même les personnes qui ne font pas d'exercice se rappellent avoir fait un trop grand effort un jour, s'être senties mal pendant une activité et avoir été extrêmement épuisées par la suite. Souvent, c'est la raison pour laquelle elles ne veulent pas ou n'aiment pas faire de l'exercice. Il vous faut éviter cette

Marche sur un tapis roulant pendant une des études.

situation. Allez-y doucement et trouvez un rythme modéré. Si vous ressentez une douleur ou de l'inconfort, ralentissez. Une fois que vous serez en mesure de maintenir un niveau de condition physique suffisant et de marcher à un rythme rapide pendant 30 minutes sans interruption, vous pourrez envisager d'augmenter votre vitesse ou de choisir un parcours plus difficile comportant plus de côtes et de descentes. Passez un court instant (quelques secondes ou minutes) à travailler à cette intensité accrue et vous serez en meilleure forme et plus alerte. Je vous rappelle qu'à moins de vouloir devenir un grand sportif ou de vous entraîner pour vous préparer à un événement précis, pratiquer un exercice d'intensité élevée n'est pas indispensable pour améliorer votre santé.

La *durée,* à savoir combien de temps vous faites de l'exercice, est une composante que vous devez augmenter graduellement. Il est possible que vous soyez capable de faire de l'exercice cinq fois par semaine ou une fois tous les deux jours, mais je ne conseille pas de dépasser 30 minutes dans un premier temps, à moins que vous soyez dans une bonne condition physique lorsque vous commencez. Votre objectif devrait être de prendre du plaisir à mettre votre corps en mouvement et à faire de l'exercice. Pour certaines personnes, il peut s'agir de deux minutes le matin en faisant le tour de la maison ou en allant jusqu'à la salle commune de l'hôpital, et de répéter cette activité deux ou trois fois dans la journée. En augmentant graduellement votre base de conditionnement physique, vous serez en mesure de mener à bien un plus grand nombre d'activités qui vous plaisent pendant une plus longue période, sans vous sentir épuisé.

Mes recherches ont démontré que pendant la chimiothérapie, 10 à 20 minutes d'exercices effectués en une fois, ou répartis en séances plus courtes, diminuait de façon durable la fatigue tout en améliorant la condition physique. Les patients qui pratiquent une activité physique chaque jour pendant de petites périodes (entre 10 et 20 minutes) profitent pleinement des bienfaits de l'exercice, et ceux qui pratiquent une activité tous les deux jours seulement peuvent néanmoins bénéficier d'une baisse de la fatigue, d'une amélioration de leur qualité de vie et d'une meilleure condition physique pendant la chimiothérapie. Pour la plupart des gens, une activité physique de 10 à 30 minutes est un objectif raisonnable et réalisable et elle peut même être intégrée à leurs habitudes quotidiennes.

SOUVENIRS D'ENFANCE

Pour plusieurs personnes, la pratique d'une activité physique n'est pas agréable. Il est possible que vous ayez gardé de mauvais souvenirs de certains moments où vous avez fait trop d'efforts ou encore où vous avez dû vous arrêter, ou que vous ayez souffert étant plus jeune de moqueries des autres enfants. Jack avait ce genre de souvenirs. Il était membre de la haute direction d'une grande entreprise, avait beaucoup d'assurance, mais il avait récemment été diagnostiqué d'une leucémie myéloïde chronique. Jack était un homme ambitieux et sa principale préoccupation était de savoir s'il serait en mesure de continuer à travailler et à diriger son entreprise. Lorsque j'ai évoqué avec lui la possibilité de faire de l'exercice, il m'a regardé, a remué la tête et m'a répondu « Je ne peux pas faire de l'exercice. » J'ai été très surprise par sa réponse et par la confiance avec laquelle il l'avait formulée, et je lui ai répondu : « Pourquoi ? Tout le monde peut faire de l'exercice. Il s'agit juste de bouger. Vous avez " fait de l'exercice " en marchant jusqu'ici. » Jack fut surpris de ma réponse, mais il continuait à remuer la tête et me dit : « Non, tout le monde doit marcher pour venir ici. Si je fais vraiment du sport, je deviens rouge et je transpire. Je ne peux pas me permettre de faire ça, je porte un complet toute la journée. » L'image que sa réponse avait fait naître dans mon esprit me fit sourire. Je lui ai expliqué qu'une pratique graduelle d'exercices ne devait pas être désagréable ni le faire transpirer, qu'un programme d'exercices scientifique lui redonnerait des forces, autant sur le plan physique qu'émotionnel, et que cela pourrait même lui permettre d'avoir les idées plus claires. La perspective d'avoir une plus grande efficacité intellectuelle plut beaucoup à Jack. Il voulait être un chef d'entreprise qui n'avait pas l'air malade. Après une longue discussion, Jack finit par accepter d'entreprendre le programme. Au cours des semaines d'exercice qui suivirent, Jack me confia que lorsqu'il était adolescent, il était maladroit et ne courait pas assez vite ou ne voyait pas assez bien pour taper dans un ballon ou le rattraper. Les moqueries de ses camarades de classe avaient laissé des traces et avaient engendré une grande gêne. Il était le bouc émissaire de la cour d'école et ces souvenirs le perturbaient encore, même s'il avait finalement très bien réussi. « Ce type d'exercice, me dit-il, est différent. Je me sens mieux, plus en forme et plus confiant, mais la progression est tellement graduelle que je peux véritablement réussir le programme. » Jack était manifestement très fier de sa réussite et a continué à faire de l'exercice longtemps après la fin de son traitement.

PROGRAMMES D'EXERCICES
UTILISÉS EN RECHERCHE

Différents programmes d'exercices ont été étudiés auprès de patients atteints du cancer. Certaines des études nécessitent que les patients fassent de l'exercice tous les jours et d'autres exigent des patients qu'ils en fassent seulement trois ou quatre jours dans la semaine. Les chercheurs se sont penchés sur les bienfaits de l'exercice lorsque les patients sont autorisés à en faire à la maison, dans de petits groupes ou dans le cadre de programmes d'exercices individuels sous supervision (seul avec un entraîneur personnel). Le type d'exercice varie d'une étude à l'autre. Certaines études permettent aux patients de choisir une activité d'aérobie qu'ils aiment, comme la marche, le cyclisme ou la nage, et d'autres imposent une activité, telle que le tapis roulant ou le vélo stationnaire. Je pense que les meilleures activités sont celles qui sollicitent les muscles dont on se sert pour nos activités de tous les jours. La marche me semble la meilleure alternative, puisque nous y avons recours tous les jours et qu'il est habituellement assez facile de s'y adonner, que ce soit dans notre quartier, sur la piste de course du lycée ou dans un centre commercial. La marche est très pratique puisqu'elle ne nécessite aucun équipement coûteux à l'exception d'une bonne paire de chaussures. Si vous trouvez que la marche est trop exigeante en raison de problèmes physiques ou que vous avez simplement besoin d'un peu de diversité, vous pouvez essayer d'autres activités, comme la nage, l'aviron ou le vélo stationnaire. Si vous êtes alité, un vélo de lit est un moyen formidable de maintenir vos jambes en forme pour vous permettre de sortir de l'hôpital en marchant et pour renforcer votre cœur et vos poumons. Si vous n'arrivez pas à faire travailler vos jambes, un vélo à bras ou un rameur vous aideront à préserver de la force et de l'endurance. Sans tenir compte de la prescription d'exercices et de l'endroit où l'activité est effectuée, toutes les études menées auprès de patients atteints du cancer recevant un traitement en hôpital, ou à titre de patient externe, arrivent à des conclusions positives et aucune d'entre elles n'a noté de répercussions négatives sur la santé des participants.

L'EXERCICE POUR LES PATIENTS HOSPITALISÉS

Vous n'envisagez probablement pas l'exercice comme une activité pouvant être intégrée à un séjour à l'hôpital pour les patients atteints d'un cancer, et la plupart des hôpitaux seront de votre avis. Cependant, de plus en plus de physiothérapeutes, de kinésithérapeutes, d'infirmières, de chercheurs scientifiques en exercice physique et de médecins déterminés s'intéressent à la question, et des programmes sont en cours de développement afin de garder les patients actifs et en forme pendant l'hospitalisation, de façon à éviter certains des effets invalidants de l'inactivité et du repos au lit. Certains centres pour le traitement du cancer proposent de légers programmes d'étirements et de yoga, lesquels ne sont pas très efficaces pour éviter la perte invalidante de force musculaire et d'endurance cardiovasculaire, même s'ils contribuent à maintenir un certain échauffement des muscles et à procurer une sensation de bien-être et de détente. D'autres centres de traitement du cancer encouragent les patients à marcher dans les halls et disposent parfois même d'une pièce avec du matériel de sport et des vidéos d'exercices. Ces programmes ne sont pas supervisés et ne fournissent pas beaucoup de directives en matière d'exercices, mais l'intérêt est de plus en plus grand et les médecins font des efforts non seulement pour soigner leurs patients du cancer, mais aussi pour les maintenir en mouvement pendant leur traitement et longtemps après leur rétablissement.

Les recherches ont été principalement effectuées auprès de patients recevant des traitements à titre de patients externes. Toutefois, une équipe de recherche située en Allemagne a élaboré un programme d'exercices incluant un vélo de lit pour les patients qui reçoivent une transplantation de moelle osseuse et qui sont alités à l'hôpital pour de longues périodes, et il s'agit là d'un de mes programmes préférés. Le programme de vélo de lit doit être effectué chaque jour de façon à maintenir les patients en forme ou à augmenter leur résistance afin d'éviter une partie de l'affaiblissement et de la fatigue écrasante ressentis pendant l'hospitalisation et après la sortie de

Daniel Shapiro pédale dans une unité de transplantation de moelle osseuse.

l'hôpital. Les patients doivent simplement rester allongés dans le lit et pédaler pendant une minute, puis se reposer pendant une minute. L'intensité de l'exercice se situe dans une fourchette allant de 10 à 12 sur l'échelle de perception de l'effort de Borg. Le fait de rester allongé dans le lit et de pédaler est une forme d'exercice facile qui est à la portée de la majorité des patients atteints du cancer. Je le considère comme un exercice à la portée de tous, puisque aucun autre exercice ne nous permet de faire du sport tout en étant allongé dans un lit et en jouant à des jeux vidéos, en répondant à des courriers électroniques ou en se faisant les ongles. S'il vous est impossible de pédaler avec vos jambes, certains appareils vous permettront de pédaler ou de ramer avec vos bras pour vous maintenir en forme et, ce qui est encore plus important, pour éviter que votre cœur et vos poumons ne perdent une trop grande partie de leurs capacités.

La grande majorité des programmes d'exercices utilisés dans les recherches se sont concentrés sur les exercices d'aérobie et sur les activités soutenues comme la marche. Certaines de mes études se sont tournées vers les effets des exercices de résistance, comme le lever de poids ou l'utilisation d'élastiques de résistance, sur les fonctions physiques et émotionnelles. Tandis que les exercices de résistance permettent aux gens d'améliorer leur condition physique, ces derniers ne semblent pas vraiment les apprécier et, après quelques mois, ils se tournent plutôt vers la marche ou une autre forme d'exercice aérobique. Il faut faire preuve d'une plus grande détermination et de beaucoup de discipline pour suivre un programme d'exercices de résistance et pour parvenir à le poursuivre à long terme. Les exercices de résistance représentent cependant un moyen formidable de vous muscler lorsque vous êtes à l'hôpital ou alité. Le programme le plus efficace pour la santé et la condition physique est sans aucun doute une combinaison d'exercices d'aérobie et de résistance, comme nous le verrons dans les chapitres suivants.

Lors de mes études portant sur la force musculaire, j'ai eu recours à des Thera-Bands ou Rep Bands, sortes de grosses bandes élastiques. Elles fonctionnent par codes de couleurs, chaque couleur faisant référence à une épaisseur différente qui crée plus ou moins de résistance. Il existe plusieurs moyens de fixer un Thera-Band ou Rep-Bands pour pouvoir ensuite l'utiliser pour effectuer un exercice de résistance : en l'accrochant à une porte, au pied d'un canapé, en mettant votre pied sur un des deux bouts ou même en l'attachant au lit de l'hôpital. En fonction de la façon dont vous le fixerez, vous pourrez faire travailler la plupart des muscles de votre corps. Vous verrez quelques photos de ces exercices aux chapitres 8 et 9. La plupart des hôpitaux n'offrent pas de programme de réadaptation physique pour les patients atteints d'un cancer, bien qu'ils fournissent de l'information sur l'importance de l'exercice pendant le traitement de cette maladie. Si aucun local d'exercice ne vous est fourni, plaidez votre cause et celle des autres patients en réclamant un vélo de lit ou un vélo stationnaire, ou demandez à ce que quelques Thera-Bands ou Rep Bands soient envoyées à votre chambre ou même chez vous.

SE RÉAPPROPRIER SA JEUNESSE ET LA CONSERVER

Ruby avait 82 ans lorsque je l'ai rencontrée. Elle travaillait bénévolement dans la boutique de cadeaux d'un hôpital et elle aidait les gens à s'y retrouver dans les différents corridors.

Elle avait 80 ans lorsqu'on lui diagnostiqua un cancer du sein et 81 ans lorsqu'elle termina tous ses traitements. Lorsque nous nous sommes rencontrées, elle se plaignait d'un manque de résistance et elle avait peur de trop en faire puisque ses médecins lui avaient conseillé d'y aller doucement. Elle me dit ceci : « Toute ma vie, je me suis démenée pour moi-même, pour ma famille et pour les autres. Je ne peux pas me contenter de rester assise, mais maintenant j'ai peur de reprendre mes vieilles habitudes d'exercice qui font partie de ma vie depuis 20 ans. » Le programme d'exercices de Ruby avant son diagnostic consistait en une marche d'environ trois kilomètres trois fois par semaine, en plus de ses activités bénévoles à l'hôpital et dans un musée trois jours par semaine. C'était une femme occupée et elle était anéantie par le conseil du médecin d'y aller en douceur. Elle affirmait : « En suivant ses conseils, je vieillis, mais j'ai peur qu'il soit dangereux pour moi de faire de l'exercice maintenant. » J'ai rencontré Ruby seulement quelques fois. Elle avait simplement besoin d'être rassurée sur le fait qu'elle pouvait faire de l'exercice en toute sécurité. L'aspect le plus difficile pour Ruby était d'apprendre à trouver son rythme. Elle voulait pousser son corps à la vitesse maximale, mais après quelques minutes elle était à bout de souffle et découragée. « Avant j'arrivais à marcher à ce rythme tous les jours. Qu'est-ce qui m'arrive ? » Notre plus grand défi a été de lui apprendre à être patiente et à laisser son corps se remettre en forme à son propre rythme. Après plusieurs mois d'exercices progressifs et réguliers, elle a pu reprendre ses activités habituelles de marche et d'aquagym tout en ayant la sensation de rajeunir.

L'expérience qu'a vécue Ruby est très courante pour les gens de tous âges. Nous oublions que l'exercice et le mouvement sont essentiels à notre vie. Notre corps a été conçu pour être en mouvement. Si nous ne faisons pas travailler nos muscles et notre corps, ils finissent par ne plus aussi bien « fonctionner » au bout d'un certain temps. Ruby a entamé un programme combinant la marche et les exercices de résistance, et après environ 4 semaines, elle affirmait qu'elle se sentait en bien meilleure forme et qu'elle traversait sa journée avec beaucoup plus d'énergie et de courage. Qu'est-ce qui a changé pour elle ? Elle a amélioré sa force musculaire et sa forme cardiovasculaire.

PERSONNALISER SON PROGRAMME D'EXERCICES

Que vous soyez un patient « en bonne santé » ou un patient sur lequel le traitement ou les effets de la maladie ont eu un effet invalidant, le fait d'entreprendre un programme d'exercices exige que vous observiez la personne unique que vous êtes et que vous élaboriez un programme qui vous est spécifiquement destiné. Le programme doit tenir compte de vos capacités physiques actuelles, de vos restrictions physiques, de votre expérience passée en matière d'exercice et de votre type de traitement. Afin d'adapter un programme à vos capacités et à vos besoins physiques, vous devez tenir compte de différents facteurs, comme le type de cancer dont vous êtes atteint et sa phase, le type de traitement que vous recevez ou avez reçu, le risque que vous courrez de développer un lymphœdème (gonflement du bras ou de la jambe à la suite d'une opération chirurgicale), si vous souffrez d'engourdissement des pieds ou des mains (neuropathie périphérique) causé par la chimiothérapie, et si vous souffrez d'autres maladies chroniques comme l'arthrite, l'hypertension ou l'ostéoporose. Ces problèmes et bien d'autres encore ne vous empêchent pas de faire du sport, mais vous devrez peut-être faire preuve d'un peu de créativité pour élaborer un programme d'exercices qui ne soit pas risqué, et qui, bien sûr, vous procure plaisir et bien-être.

L'exercice peut être pratiqué à tous âges s'il est adapté à vos capacités. Les études de recherche nous démontrent l'importance de l'exercice pour toutes les personnes, quel que soit leur âge, leur condition physique et leur taille, afin de diminuer le risque de récidive du cancer et le développement de cancers secondaires, pour améliorer la force musculaire et de la santé osseuse, et pour réduire le risque d'ostéoporose, de maladie cardiaque, de diabète, d'hypertension et d'obésité. Les chapitres suivants vous aideront à commencer un des programmes En forme pour combattre le cancer ou à élaborer votre propre programme qui tient compte de votre forme et de votre expérience passée en matière d'exercice. Adapter un programme d'exercices aux capacités et aux restrictions physiques d'une personne donne à chacun la chance de récolter le fruit de son travail, de profiter pleinement de la vie, de se sentir bien et d'accroître ses chances de vivre plus longtemps.

L'HISTOIRE DE RUTH

Ruth avait 86 ans et vivait dans une maison de retraite. Lorsque je l'ai rencontrée, elle venait tout juste de recevoir un diagnostic de cancer du sein en stade précoce, qui ne nécessitait qu'une opération chirurgicale sans aucun autre traitement. Sa fille me confia que Ruth n'arrivait plus à se lever de sa chaise, qu'elle n'avait envie de rien et qu'elle exigeait d'être aidée pour tout. Bien qu'elle fut désagréable et déprimée en raison de son cancer et de sa situation, elle avait toute sa tête et elle était capable de se prendre en charge, même si elle n'en avait pas la volonté. Pour l'aider à sortir de cet état, nous avons organisé une fête pour faire chanter les résidents de la maison de retraite, puis nous avons élaboré un programme de danse. Même si certains résidents bougeaient au rythme de la musique tout en restant assis sur leur chaise, d'autres s'appuyaient sur leur déambulateur ou leur chaise pour faire quelques pas, et d'autres encore arrivaient à danser sans être aidés. Ruth et les autres résidents appréciaient tellement d'avoir l'occasion de bouger et de danser que ces événements se sont transformés en activité régulière, souvent initiée de façon impromptue lorsqu'un résident écoutait un bon morceau de musique de sa génération. Avec le temps, Ruth est devenue plus autonome et a recommencé à prendre soin d'elle-même. Maintenant, lorsque sa famille en fait trop en voulant l'aider, elle leur rétorque, avec une petite lueur dans les yeux: «Je peux le faire moi-même. À moins que tu ne penses que je sois trop vieille pour ça?»

POINTS CLÉS

- L'exercice ne représente aucun danger pour les patients atteints du cancer.
- La pratique d'un exercice devrait être agréable et ne devrait pas causer d'inconfort.
- Les programmes d'exercices devraient être adaptés à vos capacités et à vos besoins.
- Utilisez l'échelle de perception de l'effort pour déterminer avec quelle intensité vous effectuez vos exercices.

- Adaptez vos exercices à votre capacité physique afin de pouvoir en récolter les fruits, tant sur le plan physique qu'émotionnel.

CHAPITRE 6

PROGRAMME D'EXERCICES AÉROBIQUES EN FORME POUR COMBATTRE LE CANCER

Le programme d'exercices d'aérobie proposé dans ce chapitre est celui que j'utilise dans mes études de recherche et que je conseille à la grande majorité de mes patients pour commencer. Il est très simple et ne prend que 30 minutes à exécuter. Si vous êtes très motivé et déterminé à suivre un programme combinant exercices d'aérobie et de résistance, vous trouverez des suggestions à cet égard dans le chapitre 8. Vous pouvez également combiner ces programmes si votre objectif est d'être en meilleure condition physique et d'accroître votre endurance ou si vous voulez remédier à votre faiblesse musculaire. Quel que soit le programme que vous choisirez, commencez doucement, progressez avec régularité et soyez patient. Les directives qui accompagnent chaque programme vous aideront à entreprendre un programme éprouvé et sans danger. Les renseignements fournis dans les chapitres 7 et 8 vous aideront à apprendre comment modifier les programmes d'exercices d'aérobie pour atteindre vos objectifs précis et vos besoins personnels.

COURIR APRÈS TROIS ENFANTS

Avec un cancer du sein en phase 3 et trois enfants de moins de 4 ans, Jody, âgée de 39 ans, avait du mal à maintenir le rythme que lui imposait sa vie quotidienne. Le traitement de son cancer du sein était lourd et la chimiothérapie rendait ses muscles douloureux. À mesure que son traitement progressait, elle avait de moins en moins envie de sortir de chez elle. Ses amis faisaient ses courses et l'aidaient à s'occuper des enfants, et son mari assumait la plupart des tâches ménagères le soir après le travail. Jody passait de plus en plus de temps sur le sofa, prenait du poids et s'affaiblissait. Elle n'était plus capable de marcher de son fauteuil à sa chambre située à l'étage sans être à bout de souffle et épuisée. Ses traitements et les transformations physiques qu'elle vivait étaient la source d'une angoisse et d'un désespoir considérables. Même après la fin de son traitement de chimiothérapie, elle ne souhaita pas reprendre un rythme de vie plus actif. Elle aimait profondément ses enfants et se sentait coupable de ne pas pouvoir en faire plus pour eux, mais elle n'avait tout simplement pas l'énergie nécessaire. Nous avons dû faire preuve d'une grande capacité de persuasion pour que Jody recommence à marcher, tout d'abord jusqu'à sa boîte aux lettres, puis jusqu'à un petit étang situé près de sa maison. Avec le temps, Jody s'est jointe à un groupe de marche de femmes ayant suivi le programme En forme pour combattre le cancer, et ces dernières lui procurèrent un soutien et un encouragement formidables. Ses compagnes de marche l'incitèrent à se joindre à elles sur une base régulière et elles n'hésitaient pas à l'appeler avant leurs sorties pour s'assurer qu'elle ne leur ferait pas faux bond. Le soutien du groupe, la pratique régulière d'exercices d'aérobie et la prise d'un antidépresseur ont permis à Jody de retrouver une vie bien remplie. Il lui a fallu déployer des efforts considérables pour s'engager à marcher avec le groupe trois fois par semaine, mais lorsqu'elle y parvint, elle commença à perdre du poids et à redevenir la femme qu'elle était auparavant. Elle me confia : « Si je n'avais pas commencé à marcher avec mes nouvelles amies, je ne sais pas ce qui me serait arrivé. J'étais au bout du rouleau et je ne voyais pas d'issue possible. Même les petites promenades jusqu'à l'étang m'ont aidée à croire que je pouvais reprendre le contrôle de ma vie. »

PROGRAMME D'EXERCICES D'AÉROBIE EN FORME POUR COMBATTRE LE CANCER

Pour commencer le programme d'exercices d'aérobie En forme pour combattre le cancer, sélectionnez une activité d'aérobie (par exemple la marche, le vélo, la nage ou l'aviron) que vous aimez et que vous n'abandonnerez pas avec le temps. La plupart du temps, je recommande la marche. Au début, contentez-vous de respecter la durée d'exercice recommandée et travaillez en essayant de maintenir une perception de l'effort située entre 11 et 14 (voir le chapitre 5), ce qui signifie que vous ferez de l'activité à un rythme qui rendra votre respiration plus difficile que si vous vous déplaciez dans votre maison, mais vous serez néanmoins en mesure de tenir une conversation. À mesure que votre endurance s'améliorera, commencez à accélérer votre rythme, allez un peu plus vite et visez une perception de l'effort située entre 13 et 15. Votre rythme doit rendre votre respiration plus difficile, mais celle-ci doit être régulière et vous devez toujours être en mesure de tenir une conversation, même si vous devez vous concentrer davantage pour parler entre chaque respiration. Si vous vivez dans un endroit montagneux, accélérez votre rythme pendant environ une minute dans une côte. Si vous faites de l'exercice sur un tapis roulant, un simulateur d'escalier ou un autre appareil stationnaire dans votre salon ou dans un club de gym du quartier, intensifiez votre vitesse pendant 15 à 20 secondes et augmentez l'inclinaison de 1 ou 2 % pour un court instant afin de reproduire la sensation de côte.

Ce programme vous semble trop exigeant pour commencer? Coupez en deux, ou plus, la durée recommandée en fonction de vos besoins, et fixez-vous comme objectif de vous rendre graduellement au point de départ du programme. Même si vous avez besoin de raccourcir les séances, vous en retirerez des bénéfices. La science a démontré que si l'on effectue plusieurs séances dans la journée, les bénéfices de celles-ci s'accumulent et contribuent à améliorer notre condition physique. Ainsi, si vous ne parvenez à marcher ou à faire de l'exercice que pendant 1 ou 2 minutes à la fois et avez ensuite besoin de vous reposer, faites-le. Vous pourrez refaire de l'exercice pendant 1 ou 2 minutes un peu plus tard dans la journée. Avec le temps, en y allant progressivement, vous serez en mesure de prolonger la durée de votre activité et de faire plus d'exercices pendant une même séance. Notre corps est surprenant; il lui suffit d'une petite activité physique pour être en forme. Les activités que vous pensiez ne plus jamais pouvoir effectuer redeviennent réalisables, mais vous devrez faire preuve de persévérance pour intégrer l'exercice à votre vie.

Tableau 2

Programme d'exercices d'aérobie
En forme pour combattre le cancer

À quelle fréquence dois-je faire des exercices d'aérobie? Faites-en 3 ou 4 fois par semaine ou à tous les deux jours, en vous reposant une journée entre chaque séance.

À quelle intensité dois-je faire des exercices d'aérobie? Faites de l'exercice en respectant vos capacités et votre bien-être. Vous devez adopter un rythme qui vous permette de tenir une conversation. L'intensité, c'est-à-dire l'effort que vous faites ou la vitesse à laquelle vous allez, doit être déterminée en fonction de ce que vous ressentez et de tout symptôme inhabituel qui pourrait apparaître. Si vous vous sentez mal, ralentissez. Si vous continuez à vous sentir mal, arrêtez l'exercice. Faites de l'exercice en respectant une perception de l'effort située entre 11 et 14 si vous suivez un traitement, et entre 13 et 15 si vous avez terminé votre traitement et commencez à vous sentir en meilleure forme.

Pendant combien de temps dois-je faire de l'exercice? Cela dépend à quelle semaine vous en êtes. Le plan d'exercices augmente progressivement la durée d'exercices que vous devez effectuer chaque semaine, laquelle ne doit pas dépasser 30 minutes par jour.

Comment puis-je adapter le programme aux semaines de chimiothérapie? Le programme d'exercices progresse relativement doucement et la plupart de mes patients n'éprouvent pas de difficulté à respecter cette progression, mais si vous souffrez d'effets secondaires intenses en raison de votre traitement, vous pouvez, pendant la semaine de chimiothérapie, effectuer les exercices recommandés pour les deux semaines précédentes. Supposons par exemple que vous recevez votre traitement à la semaine 1 et que vous parvenez à effectuer vos exercices mais devez supporter les effets secondaires du traitement, que vous terminez les semaines 2 et 3 en ayant effectué les exercices recommandés, et qu'au début de la semaine 4 vous recevez une chimiothérapie. Au lieu de commencer le programme d'exercices de la semaine 4, refaites ceux de la semaine 2, puis, les semaines suivantes, continuez avec les exercices des semaines 3 et 4 jusqu'à votre prochaine chimiothérapie où vous recommencerez à la semaine 3.

Souvenez-vous: Dans votre carnet d'exercices (voir le chapitre 4), gardez une trace de la durée de vos exercices (combien de minutes), de ce que vous ressentez et de votre notation en matière de perception de l'effort.

Pendant combien de temps dois-je faire de l'exercice?
Rappelez-vous que si vous avez besoin de diminuer la durée de votre activité ou de la répartir sur plusieurs petites séances, cela ne pose aucun problème. Soyez patient et augmentez graduellement la durée de vos exercices pour atteindre les durées recommandées. Ce n'est qu'une question de temps avant que vous ne soyez en meilleure condition physique.

Allons-y!

Semaine 1:	Jour 1: 15 minutes
	Jour 2: 18 minutes
	Jour 3: 20 minutes
Semaine 2:	Jour 1: 18 minutes
	Jour 2: 22 minutes
	Jour 3: 25 minutes

Semaine 3 :	Jour 1 : 20 minutes
	Jour 2 : 24 minutes
	Jour 3 : 27 minutes
Semaine 4 :	Jour 1 : 23 minutes
	Jour 2 : 26 minutes
	Jour 3 : 30 minutes
Semaine 5 :	Jour 1 : 20 minutes
	Jour 2 : 24 minutes
	Jour 3 : 27 minutes
Semaine 6 :	Jour 1 : 23 minutes
	Jour 2 : 26 minutes
	Jour 3 : 30 minutes
Semaine 7 :	Jour 1 : 20 minutes
	Jour 2 : 24 minutes
	Jour 3 : 27 minutes
Semaine 8 :	Jour 1 : 23 minutes
	Jour 2 : 26 minutes
	Jour 3 : 30 minutes

Après la semaine 8 : Lorsque vous en êtes à cette étape, l'exercice fait partie de vos habitudes. Retournez à la semaine 4 et recommencez à travailler pour atteindre de nouveau la semaine 8. Essayez d'accroître l'intensité de l'exercice : forcez un petit peu plus en augmentant votre perception de l'effort. Vous pouvez conserver la même durée ou, si vous vous en sentez capable, vous pouvez l'augmenter progressivement. C'est la régularité qui compte. Si votre rythme de vie le permet, ajoutez quelques minutes de plus à votre programme d'exercices.

RENAÎTRE

Angie était une femme d'âge moyen qui souffrait d'un cancer du poumon. Elle était émotionnellement submergée par la chimiothérapie qui lui avait fait perdre ses cheveux et par les transformations que subissait son corps. Elle était tellement bouleversée par la façon dont son corps avait changé qu'elle n'avait pas quitté sa maison pendant presque 4 mois, à l'exception de ses sorties pour suivre ses traitements. Pendant cette période, elle était devenue de plus en plus faible et déprimée, au point qu'elle avait besoin d'une chaise roulante pour se rendre du parking au cabinet du médecin. Elle perdait son envie de vivre et ne prenait de plaisir à rien. Je lui suggérai alors de commencer à accroître son activité physique en marchant d'un bout à l'autre de son salon au moins une fois par jour, quatre jours de la semaine de son choix. La semaine suivante, elle devait faire le même exercice trois fois par jour, 4 ou 5 fois par semaine. Lorsqu'elle retourna à la clinique, elle m'annonça : « La semaine dernière, je n'ai pas fait ce que vous m'aviez recommandé. » Elle fit une pause pour voir ma réaction, et, avec une lueur dans les yeux, elle ajouta : « J'ai commencé à marcher dehors ! J'arrive presque à marcher jusqu'au bout du pâté de maison, et j'ai réussi à marcher du parking jusqu'ici ! » Pour la première fois depuis plusieurs mois, elle souriait et semblait avoir davantage confiance en elle. En partant, elle me lança : « L'exercice est le meilleur remède qui soit. Je renais ! »

CHAPITRE 7

SPORTIFS, CRÉEZ VOTRE PROPRE PROGRAMME D'EXERCICES

Ce chapitre vous permettra d'acquérir les connaissances nécessaires pour créer votre propre programme d'exercices en modifiant le programme d'exercices d'aérobie En forme pour combattre le cancer afin de l'adapter à vos besoins personnels, et de savoir à quel moment prendre des jours de repos ou augmenter l'intensité de votre activité. Il intéressera quiconque désire savoir comment réussir son programme d'activité physique de façon scientifique et efficace. Tous ces détails n'intéresseront peut-être pas le sportif débutant, mais il y trouvera les renseignements nécessaires sur la façon d'agir lorsqu'il est malade ou dans le cas d'un surentraînement, alors que le sportif plus assidu y trouvera des renseignements sur la façon de structurer un plan d'entraînement ou d'être à son meilleur niveau en vue d'un événement particulier. J'espère que ce chapitre vous permettra de comprendre que c'est la qualité, et non la quantité, qui compte.

PAR OÙ COMMENCER ?

Il est difficile d'estimer la quantité d'exercices à effectuer lorsqu'on entreprend un nouveau programme. Je recommande toujours aux gens d'en faire beaucoup moins que ce qu'ils feraient habituellement. Je veux non seulement que vous réussissiez votre programme d'exercices, mais également que vous ne ressentiez pas d'inconfort. Rappelez-vous que si vous voulez intégrer l'exercice à votre vie, vous avez amplement le temps de vous mettre en forme et vous devez tranquillement prendre des habitudes d'exercice dont vous retirerez un certain plaisir.

Si vous faisiez de l'exercice régulièrement avant votre diagnostic et si vous recevez actuellement un traitement ou si votre traitement est terminé et que vous voulez vous remettre en forme, commencez en douceur. Je n'insisterai jamais assez sur ce point. Il n'est pas raisonnable d'envisager de reprendre votre programme d'exercice là où vous l'avez laissé. Même si vous parvenez à maintenir le rythme pendant quelques jours, le fait que vous ne soyez plus dans la même condition physique finira par vous rattraper. Les personnes qui tentent l'expérience ressentent habituellement une immense fatigue, des douleurs musculaires et montrent des signes de surentraînement. Je vous suggère de diviser votre activité habituelle en deux et de commencer en douceur avec quelques journées de vélo, de natation ou de tout autre sport. Écoutez votre corps. Vous retrouverez votre forme, mais cela nécessitera du temps et de la patience. En recommençant l'activité physique avec des exercices d'intensité élevée, vous vous condamnez à l'échec parce que vous ne serez pas en mesure de terminer votre plan d'exercices pour la journée et ressentirez un épuisement extrême. Entraînez-vous de façon intelligente : élaborez un programme d'entraînement ou d'exercices raisonnable, et tenez un carnet de vos progrès et de ce que vous ressentez. Les renseignements fournis dans ce chapitre vous aideront à élaborer un programme d'exercices basé sur différents cycles d'exercices, certains étant plus difficiles que d'autres, mais tous s'appuyant les uns sur les autres.

Reprendre une activité physique après une période prolongée d'inactivité et de traitement contre le cancer et faire de l'exercice pour la première fois sont deux choses différentes. Tout le monde a des hauts et des bas en matière de performance et de capacité. Les hauts et les bas que l'on connaît pendant et après le traitement du cancer sont plus intenses et imprévisibles que lorsque que l'on se rétablit d'une autre maladie et ils peuvent être reliés à la fatigue générée par le traitement ou à d'autres effets secondaires persistants. Vous pourriez, par exemple, subir des effets secondaires aigus et de longue durée qui vous rendent moins alerte et diminuent votre capacité à supporter une activité intense. Vous pourriez même voir apparaître de nouveaux changements physiques, comme des engourdissements de vos pieds qui affectent votre équilibre, changements qui pourraient limiter votre capacité à faire de l'exercice, à marcher ou à effectuer toutes les activités nécessitant d'être debout. Votre équilibre musculaire pourrait également être modifié en raison d'une opération chirurgicale. Avec du temps, de la patience et de la persévérance, vous apprendrez comment faire de l'exercice et avoir une vie bien remplie malgré ces restrictions. J'ai toutefois eu des patients qui ont modifié leurs activités en raison des effets intenses de leur traitement à long terme.

SURMONTER SES LIMITATIONS PHYSIQUES

Randy était un athlète accompli de 19 ans ayant participé à de nombreuses compétitions de course, de natation et sur le terrain de baseball du lycée. Il venait à peine de recevoir une bourse lorsqu'on lui a diagnostiqué un sarcome, une tumeur maligne située dans ses muscles ischio-jambiers. Il a dû subir une opération chirurgicale de grande envergure pour enlever la tumeur et une bonne partie du muscle, et il a suivi par la suite des traitements de chimiothérapie et de radiothérapie. Il travaillait sérieusement tous les jours pour étirer sa jambe et pour accélérer la cicatrisation de sa plaie chirurgicale qui s'étendait de la fesse au genou. Lorsqu'il était hospitalisé pour recevoir une chimiothérapie, il s'entraînait à marcher et à remonter son genou vers sa poitrine. À la fin de ses traitements de chimiothérapie, il arrivait à marcher sans difficulté et avait commencé à faire du vélo stationnaire. Au cours des premières semaines, il ne pouvait pédaler que pendant une à deux minutes avant d'avoir besoin de se reposer, mais à la fin de la chimiothérapie, environ quatre mois plus tard, il était en mesure de pédaler pendant 20 minutes sans s'arrêter. Même si Randy parvenait à effectuer normalement ses activités quotidiennes, il comprit que ses muscles ischio-jambiers ne se rétabliraient jamais complètement à cause des dégâts causés par l'opération chirurgicale, ce qui signifiait qu'il ne redeviendrait jamais le coureur d'élite qu'il avait été avant son diagnostic. Après de nombreux mois passés à nier la réalité et à travailler avec des poids pour retrouver ses forces, il finit par comprendre que, s'il voulait faire de la compétition, il devrait choisir un autre sport. Randy se mit alors à la natation et, après six mois d'entraînement régulier, il nageait plus vite que lorsqu'il s'entraînait pour obtenir une bourse de natation de l'université.

POURQUOI FAITES-VOUS DE L'EXERCICE?

Il est important que vous sachiez pourquoi vous faites de l'exercice. Pour être moins fatigué? Pour perdre du poids? Pour conserver ou améliorer votre forme? Si votre motivation principale est de limiter votre fatigue et certains des autres effets secondaires reliés au traitement, le programme d'exercices d'aérobie En forme pour combattre le cancer vous aidera, et il vous sera plus simple de le suivre que de créer votre propre programme d'exercices. Toutefois, si vous venez de terminer votre traitement et que votre objectif principal est de perdre un peu du poids que vous avez pris pendant celui-ci, ou qui s'est simplement accumulé au fil du temps, vous pouvez tenter une autre approche. Commencez par suivre le programme d'exercices d'aérobie En forme pour combattre le cancer pendant huit semaines. Après une période de huit semaines d'exercices réguliers, vous devriez vous sentir suffisamment en forme pour commencer à augmenter la durée de vos exercices sans vous sentir totalement épuisé. Pour faciliter la perte de poids, il sera important que vous respectiez une durée de 30 à 45 minutes, 3 ou 4 fois par semaine, et que vous apportiez quelques modifications à votre régime alimentaire en réduisant les calories et les matières grasses et en augmentant la consommation de fruits, de légumes et d'aliments faibles en matières grasses. Vous pouvez également ajouter des exercices de résistance à votre programme. Les exercices de résistance contribuent à renforcer vos muscles, et des muscles plus forts dépensent plus de calories. Si votre objectif est de perdre du poids, essayez de faire de l'exercice 4 ou 5 fois par semaine à raison de deux séances d'exercice d'intensité modérée (perception de l'effort entre 13 et 15) et d'une durée assez longue, d'une séance d'exercices à une intensité plus faible (perception de l'effort entre 11 et 13) et d'une durée assez longue, et d'une autre séance à une intensité plus élevée (perception de l'effort entre 14 et 16) mais d'une durée plus courte. Si vous devez ajouter des exercices de résistance à votre programme, commencez par les exercices d'aérobie puis poursuivez avec les exercices de résistance, ce qui permettra à vos muscles d'être bien réchauffés et de ne pas être trop fatigués pour pouvoir effectuer le reste

« Jamais trop vieille pour une formidable journée d'exercice. » Janet Smith part faire du ski de fond à Trillium Lake, près du mont Hood, en Orégon.

des exercices ou effectuez vos exercices de résistance d'une autre façon.

ÉLABOREZ VOTRE PROPRE PLAN D'EXERCICES

Nous avons tous besoin d'un plan d'exercices, quel que soit notre niveau d'activité physique ou notre objectif. Lorsque vous avez un plan, vous sortez plus facilement pour mener vos activités, vous avez un objectif à atteindre, vous êtes plus concentré sur votre programme d'exercices et vous êtes moins enclin à vous ennuyer. Votre plan d'exercices doit être détaillé et contenir des objectifs raisonnables et réalisables pour chaque séance. Il devrait viser à maintenir un programme régulier ou à être suffisamment précis pour vous préparer à un événement particulier. Le plan sera divisé en cycles, chacun d'entre eux étant axé sur des activités et une quantité d'exercices précis. Ces trois cycles s'appellent *microcycle*, *mésocycle* et *macrocycle*.

Le *microcycle* dure une semaine et représente l'équivalent d'une semaine d'exercice (voir le tableau 3). Il vise à inclure un élément nouveau à chaque entraînement. Si votre objectif concerne une compétition ou si vous voulez simplement être en meilleure condition physique et plus alerte, vous devrez axer chaque séance d'exercice sur un aspect différent de votre physiologie. Certains jours, vous ferez des exercices d'aérobie à un rythme régulier, à d'autres moments vous augmenterez l'intensité pour adopter un mode anaérobique, et à d'autres moments encore vous vous concentrerez sur des pointes de vitesse prolongées à une intensité modérée ou légèrement inférieure à votre maximum. En mettant l'accent sur les différentes voies métaboliques de notre corps, nous améliorons notre condition physique et devenons plus alerte. Les journées de repos sont parmi les plus difficiles à respecter. Elles nécessitent une grande discipline et le respect d'un rythme moins soutenu que celui que vous devez adopter la plupart du temps pour vos séances d'exercices. Je sais que certains d'entre vous trouveront cela difficile à croire, mais lorsque vous aurez commencé ce programme, vous verrez qu'il est plus facile d'adopter un rythme modéré pour tous vos entraînements. Faire varier votre rythme entre une intensité élevée et une intensité très faible est plus difficile que ce que l'on pourrait penser. La plupart des gens trouvent que le fait de ralentir le

---

Tableau 3

Exemple de microcycle pour un marcheur

Lundi : Journée de repos ou de récupération active. S'il s'agit d'une récupération active, effectuez une promenade de 15 minutes en vous limitant à une perception de l'effort de 10 ou 11.

Mardi : Travail anaérobique ou de vitesse. Réchauffez-vous à un rythme confortable pendant cinq minutes puis marchez à votre vitesse maximale pendant 10 secondes. Reprenez un rythme lent et répétez cet exercice trois fois. Prenez le temps nécessaire pour récupérer. Lorsque vous serez en meilleure forme, entre 20 et 30 secondes de repos devraient suffire. Terminez en douceur en marchant à un rythme confortable pendant cinq minutes. L'effort perçu pendant la marche rapide devrait se situer entre 13 et 15.

Mercredi : Effectuez une marche d'endurance à un rythme régulier pendant 20 à 30 minutes. Marchez tout en maintenant une perception de l'effort de 12.

Jeudi : Entre 20 et 30 minutes. Une fois que vous vous êtes réchauffé pendant 5 à 10 minutes, marchez à un rythme rapide pendant deux minutes. Ralentissez et récupérez pendant deux minutes, puis marchez rapidement pendant deux minutes. Recommencez cette séquence une deuxième fois. L'effort perçu pendant les périodes d'effort doit être de 14 ou 15, et de 9 ou 10 pendant les périodes de récupération. Assurez-vous de terminer en douceur.

Vendredi : Journée de repos ou récupération active (voir lundi).

Samedi et/ou dimanche : Marchez avec un groupe en augmentant votre rythme lorsque vous montez de petites côtes et en ralentissant lorsque vous êtes dans une descente. Maintenez une perception de l'effort située entre 11 et 14.

rythme lors d'une journée de récupération exige beaucoup de volonté et ils doivent être plus conscients de leur respiration et de leur rythme cardiaque. Ces journées de repos et de récupération sont le secret des grandes performances sportives.

En regardant le tableau 3, vous vous imaginerez peut-être que vous devez faire de l'exercice tous les jours. Ce n'est pas le cas ! Vous pouvez envisager les journées de repos comme des journées sans exercice et avoir pour objectif de faire du sport trois fois par semaine, ou tous les deux jours. L'important, c'est que vous sortiez faire de l'exercice, et non pas quels jours de la semaine vous le faites. Il n'y a pas de jour miracle, mais vous pourrez avoir besoin de prendre une journée de repos entre chaque entraînement. Je trouve que le fait de varier l'entraînement, par exemple en faisant davantage d'efforts certains jours, aide à réduire la monotonie, et la science a démontré avec certitude que les jours de repos sont essentiels lorsque l'on veut améliorer sa condition physique. Avoir un programme ou des habitudes d'exercices structurés est non seulement ce que je recommande à mes patients, mais c'est aussi la façon dont les sportifs s'entraînent, que ce soit en vue d'un sprint de 100 mètres ou d'un marathon.

Un *mésocycle* est une période d'environ un mois, soit l'équivalent de trois ou quatre microcycles (tableau 4). La durée d'un mésocycle est déterminée en partie par votre condition physique. Si vous venez de commencer un programme d'exercices et que vous avez été très malade ou si vous venez de vous remettre au sport, évitez de faire trop d'efforts. Élaborez un programme de trois semaines par cycle de façon à bénéficier d'une période de récupération suffisante entre chaque étape du programme. Lorsque votre corps aura retrouvé un peu de ses forces et que vous pourrez supporter de faire plus d'exercice, vous serez en mesure de passer à des cycles de quatre semaines. Les semaines d'un mésocycle sont divisées en niveaux d'intensité différents, allant des semaines de récupération aux entraînements d'intensité plus élevée que j'appelle également «semaines difficiles». Si vous décidez de commencer par des cycles de trois semaines, ce que je recommande à toute personne débutant un programme d'exercices structuré, vous devriez commencer par deux semaines d'exercice modéré suivies par une semaine de récupération. La semaine de repos ou de récupération consiste à diminuer la durée et l'intensité de votre activité, ce qui signifie que vous passez moins de temps à faire de l'exercice et que vous le pratiquez à un niveau, ou à un effort perçu, moins élevé, qui

Tableau 4

Mésocycles de trois et quatre semaines démontrant comment les semaines se chevauchent les unes les autres

Semaine 3 : Intensité modérée ou élevée

Semaine 2 : Intensité élevée

Semaine 1 : Intensité modérée

Semaine 4 : repos ou récupération active

Semaine 2 : Intensité élevée

Semaine 1 : Intensité modérée

Semaine 3 : repos ou récupération active

n'exige pas que vous fassiez un gros effort physique. C'est la semaine pendant laquelle votre corps récupère pour ensuite être capable de passer à un niveau supérieur. Les semaines difficiles de ce cycle comprennent du travail de vitesse (efforts de très courte durée à une intensité élevée) et des exercices d'une durée plus longue et d'intensité, ou de perception de l'effort, moins élevée. L'intensité et la durée de votre programme d'exercices doivent varier chaque semaine. Un programme diversifié permettra non seulement de faire travailler les différents systèmes physiologiques de votre corps, mais également de contribuer à éviter la perte d'entrain et l'ennui.

En plus des bienfaits que l'exercice par cycles a sur votre condition physique, les mésocycles sont également bénéfiques pour la santé. En faisant de l'exercice par cycles, vous évitez de faire trop d'efforts et diminuez les risques de vous blesser ou de tomber malade. Ce type de programme scientifique aide également votre corps à s'habituer à l'exercice et diminue ainsi les risques de maladies cardiaques, d'hypertension, de diabète et d'arthrite, tout en vous aidant à brûler plus de calories, ce qui vous permet de mieux contrôler votre poids.

La perspective à long terme de votre plan d'exercices s'appelle un *macrocycle*. Le tableau 5 explique comment plusieurs semaines d'exercices à intensités variées se transforment en mésocycles, puis en macrocycles. Les macrocycles peuvent varier entre plusieurs mois et plusieurs années et, si vous tenez un carnet et faites un suivi, ils sont représentatifs des exercices que vous avez effectués sur toute une période de plusieurs mois ou années.

Tableau 5

Modèle de macrocycle présentant la façon dont une semaine empiète sur l'autre, et comment une semaine facile diminue l'intensité et la charge de travail

Modéré

Difficile   Modéré

Difficile   Modéré   Facile

Difficile   Modéré   Modéré   Facile

Modéré   Modéré   Facile

Modéré   Facile

Modéré   Facile

Facile

AUTRES RENSEIGNEMENTS SUR LE CARNET

Il est important de tenir un carnet d'exercices dans lequel vous inscrivez ce que vous aviez prévu de faire, ce que vous avez réellement fait et comment vous vous êtes senti. Tout au long d'une période de plusieurs mésocycles, vous commencerez à apprendre de quelle façon votre corps s'adapte à l'exercice, quelle influence le temps a eu sur votre entraînement ou comment un microcycle ou un mésocycle a pu entraîner une trop grande fatigue ou même occasionner une blessure. Le principal avantage du carnet d'exercices est la motivation qu'il procure. Vous pouvez facilement suivre vos progrès et voir dans quelle mesure vous êtes capable de supporter une intensité plus élevée et des entraînements plus difficiles ou plus longs, qu'il s'agisse de faire le tour de la salle commune de l'hôpital ou de courir dans le parc du quartier. J'ai souvent l'impression que mon programme d'exercices ne me mène nulle part et pourtant, lorsque je consulte mon carnet, je me rends compte que je vais chaque fois un peu plus loin et que je me sens moins fatiguée qu'il y a quelques semaines.

RALENTIR

Il y aura toujours des moments où vous voudrez être au mieux de votre forme et briller par votre performance, même si vous ne vous entraînez pas pour un événement précis. Cet objectif de performance maximale devrait permettre d'établir un rythme et de guider votre groupe pendant vos longues marches. Vous pouvez atteindre cette performance en ralentissant. Le *ralentissement* est la diminution de votre activité pour vous permettre de vous retrouver dans une condition optimale à un moment précis. Ralentir est souvent ce qu'il y a de plus difficile, car le fait de laisser votre corps récupérer totalement exige de la discipline. Pendant cette période, il est essentiel de vous reposer le plus possible, de bien vous alimenter, de diminuer les sources de stress et de prendre le temps de visualiser comment vous vous sentirez et quels efforts vous déploierez pour atteindre votre performance maximale à l'occasion de l'événement pour lequel vous vous entraînez. Les deux ou trois jours précédant l'événement doivent être des journées de récupération active : sortez et bougez, mais ne tentez pas de dépasser votre record personnel. Retenez-vous jusqu'au jour choisi pour atteindre votre meilleure performance. Lorsque vous êtes en phase de ralentissement, vous devez vous concentrer sur le grand jour, et non sur ce que vous auriez dû faire pour être plus rapide ou avoir plus d'endurance. Il est trop tard pour y penser ; vous ne pouvez pas retourner en arrière et un entraînement intensif ne rattrapera pas l'entraînement insuffisant des semaines précédentes. La période de ralentissement est un bon moment pour évaluer comment vous vous sentez (reposé, tendu, confiant ou angoissé) et pour concentrer votre énergie sur le repos, les étirements et la visualisation.

> Lorsque j'avais un plan à suivre et que je faisais mes exercices de remise en forme en douceur et avec régularité, je me sentais mieux et j'avais davantage confiance en moi. Passer de l'inactivité à la pratique régulière d'un sport a modifié mon apparence, la façon dont je me sens et la manière avec laquelle je faisais face aux défis que me lançait la vie.
>
> – Janice, 51 ans, atteinte d'un cancer du poumon.

LA QUALITÉ VERSUS LA QUANTITÉ

Effectuer davantage de répétitions ou faire de l'exercice sur une plus longue période n'est pas forcément mieux. Il est bien plus important d'effectuer les exercices correctement en respectant l'intensité ou la perception de l'effort recommandée. Si vous cherchez à être en meilleure condition physique et si vous avez réussi le programme d'exercices d'aérobie En forme pour combattre le cancer tout en intégrant des intervalles (périodes d'exercice à intensité élevée pouvant durer entre quelques secondes et plusieurs minutes) à votre plan d'entraînement physique, vous êtes prêt à vous entraîner à des niveaux d'intensité plus élevés. Ne visez pas 8 ou 12 intervalles d'aérobie parce qu'il s'agit d'une quantité trop élevée alors que la qualité vous permettrait d'être en meilleure condition physique. Faites 3 ou 4 intervalles d'aérobie en maintenant un effort de 100 %.

Au cours de mes nombreuses années passées à encadrer les cyclistes, un de mes plus grands plaisirs était d'apprendre aux gens comment donner 100 % d'eux-mêmes. Je travaillais régulièrement avec des sportifs qui m'assuraient qu'ils donnaient leur maximum et ne pouvaient pas faire davantage d'efforts. Pourtant, grâce à un entraînements précis, je leur démontrais qu'ils pouvaient donner encore bien plus. Chaque fois qu'ils venaient de faire un effort, je leur demandais de me dire à quel point ils avaient travaillé. Certains d'entre eux ont eu besoin de huit ou dix essais pour se rendre compte qu'au cours de leurs efforts précédents, pendant lesquels ils étaient censés avoir donné 100 % d'eux-mêmes, ils avaient en réalité fourni un effort d'environ 75 % de leur capacité. Lorsque ces sportifs ont appris à véritablement donner leur maximum, ils ont été stupéfaits de constater le niveau de performance qu'ils pouvaient atteindre. Ils ont rapidement compris que des efforts de qualité sont essentiels pour être alerte et retrouver la forme. Des efforts intenses de courte durée entraînent des résultats plus rapides que des efforts moyens qui ne font pas grand-chose si ce n'est vous fatiguer parce que vous avez passé trop de temps à vous entraîner sans que ce soit vraiment efficace. C'est la raison pour laquelle je vous incite, dans le cadre de mon programme d'exercices d'aérobie En forme pour combattre le cancer, à raccourcir la durée de vos exercices si vous ne parvenez pas à tenir 30 minutes et à ralentir votre rythme ou l'intensité de vos exercices. Il existe bien évidemment des exceptions : si votre objectif est de parcourir 150 kilomètres à vélo ou de faire un marathon, vous aurez besoin de faire de l'exercice pendant des périodes plus longues. Que vous vous entraîniez pendant 30 minutes ou plusieurs heures, vous constaterez rapidement des résultats si vous appliquez ces techniques d'entraînement et vous pourrez également avoir une vie en dehors de votre programme d'exercices puisque vous passerez moins de temps à faire du sport !

UN TEMPS POUR TOUT

Vers le début de ma carrière de cycliste, j'ai décidé de participer à un événement qui consistait à traverser l'État du Missouri à vélo. Le parcours s'étendait sur environ 950 kilomètres d'un relief montagneux et les participants devaient l'effectuer en un maximum de 63 heures s'ils voulaient faire partie des gagnants officiels. J'avais méticuleusement calculé les durées de chacune de mes étapes et j'avais prévu d'envoyer à l'avance de la nourriture à tous les points d'arrêt. En me basant sur les longs parcours à vélo que j'avais effectués précédemment, j'avais calculé ma vitesse et mes heures d'arrivée à chacun des points d'arrêt où je pourrais en profiter pour récupérer des piles, un maillot plus chaud ou des collants pour la nuit. Mon plan était précis et je disposais d'une sacoche de selle assez grande pour contenir des lampes, des collations, un imperméable et le matériel nécessaire pour changer un pneu. J'ai fait ce qui me semblait être le mieux et me suis entraînée dans les « montagnes » du nord de la Floride, puis je me suis envolée pour Saint-Louis où, alors que je me dirigeais vers l'hôtel, je découvris de vraies montagnes : abruptes et hautes ! J'étais effrayée par ce que je vis et, une fois arrivée à l'hôtel, je décidai de faire immédiatement une sieste en espérant que les montagnes m'apparaîtraient moins insurmontables à mon réveil. Deux heures plus tard, je regardai par la fenêtre de ma chambre. Les montagnes étaient toujours là et toujours aussi hautes, mais il semblait y avoir une grande activité sur le parking. Je décidai alors de sortir et de profiter de cette effervescence.

Il y avait des sortes de caravanes dans lesquelles les cyclistes pourraient se reposer, des voitures de dépannage avec d'immenses feux arrières fixés sur le toit, des cyclistes qui avaient apporté deux ou trois vélos avec eux, et chaque cycliste avait au moins une personne pour le soutenir pendant le parcours. Dans quoi m'étais-je donc embarquée ? Lorsque je m'inscrivis et récupérai mon numéro de dossard, les préposés à l'inscription éclatèrent de rire et me dirent qu'ils attendaient avec impatience de rencontrer la cycliste de Floride qui était venue seule, sans soutien. Ils m'affirmèrent que peu de personnes réussissaient à faire ce parcours sans soutien à moins qu'elles ne se joignent à une équipe. Je leur dis que j'étais sûre que ça ne poserait pas de problème, mais je crois que mon regard était révélateur. Je savais que j'étais partie pour une grande aventure !

Le lendemain matin, nous nous retrouvâmes à 6 heures au point de départ. Des gens bien intentionnés me conseillèrent d'aller à mon rythme en me disant que les 150 premiers kilomètres seraient les plus difficiles en raison des montagnes qui n'en finissaient plus. D'accord, j'irais à mon rythme. Nous démarrâmes et je me retrouvai avec un groupe d'hommes dans la cinquantaine. Je décidai de rester avec eux et je commençai à trouver que ce n'était pas une si mauvaise expérience, jusqu'à ce que nous abordions la route T, T pour « terribles » montagnes ! À la première montée, je m'efforçai au maximum et parvins difficilement à rester avec mon groupe. À la deuxième et à la troisième montées, je me fis « gentiment » semer mais je les rattrapai à la descente. Puis, je me retrouvai seule dans un océan de montagnes dont je ne voyais pas la fin et qui m'engloutissait lorsque j'arrivai en bas d'une descente et que j'essayai de profiter de mon élan pour monter la prochaine côte. Le premier arrêt était à 40 kilomètres. Je décidai qu'il était trop tôt pour m'arrêter ; en plus j'étais largement en retard sur l'horaire que j'avais prévu. Je décidai donc de continuer, sachant que je ne profiterais pas des boissons et de la nourriture qui m'attendaient là-bas. Je commençai à réaliser que le poids était mon ennemi et je transportais beaucoup de surpoids dans mon corps ! Alors que je m'entretenais avec moi-même sur les vertus d'un régime et de la perte de poids, je décidai que je devais commencer tout de suite. Pourquoi ne commencerais-je pas le jour même ? Je n'avais aucune excuse pour remettre cela à plus tard. J'arrivai au point de repos situé à 75 kilomètres. J'en profitai pour m'étirer, boire un peu d'eau, puis je repartis. Je réalisai que je perdais trop de temps et je ne vis aucun moyen de rattraper mon retard, ce qui signifiait que je n'arriverais pas avant la tombée de la nuit au point d'arrêt où m'attendaient les vêtements que j'utilisais pour rouler la nuit. Même si les routes étaient très tranquilles, j'avais peur de ne pas être repérable dans le noir et je m'efforçai alors un peu plus pour aller plus vite. Au point de repos situé à 150 kilomètres, je mangeai une barre énergétique. Il me semblait que c'était suffisant ; après tout j'étais au régime et je serais mince à la fin de la course. (Avais-je perdu la raison ? J'étais pourtant quelqu'un de sensé, mais le dialogue absurde que menaient les petites voix dans ma tête gagnait clairement du terrain.)

La nuit tomba, mais j'avais de petites lumières à l'avant et à l'arrière de mon vélo. C'était peu pour les routes rurales du Missouri, mais ça me semblait suffisant. Je sortis d'ailleurs seulement une fois de la route, et ce fut pour atterrir dans un champ de maïs qui venait tout juste d'être labouré. Après avoir roulé pendant un peu plus de 21 heures à une vitesse moyenne de 21 kilomètres à l'heure, j'arrivai au milieu du parcours épuisée et découragée. Il était plus de 2 heures du matin, j'avais roulé bien plus longtemps que je ne l'avais jamais fait, et pourtant, j'étais en retard de deux heures ! Comment avais-je pu me tromper dans mes calculs ? Comment pouvais-je rouler aussi lentement ? Je refusai d'accepter l'idée que le fait de ne pas avoir mangé ou bu suffisamment pouvait avoir une incidence sur ma performance. Je n'avais pas les idées claires et j'estimais qu'il n'y avait aucun moyen de pouvoir terminer la course dans le temps imparti. Je décidai alors d'abandonner. En prenant cette décision, je me rendis compte que j'étais coincée à Kansas City sans moyen de retourner à Saint-Louis ! Je décidai alors d'offrir mes services en tant que membre d'équipe en échange du retour à Saint-Louis, pour moi et mon vélo. Je finis par rencontrer un autre cycliste dont la femme formait à elle seule son équipe de soutien et celle-ci fut ravie de m'avoir pour lui tenir compagnie et pour l'aider. Alors que je me reposais dans la voiture, je ressentis un terrible sentiment d'échec et je parvins à la douloureuse conclusion que je m'étais arrêtée trop tôt. Je m'étais trompée dans mes calculs et j'avais abandonné trop rapidement. Vingt-et-un plus 21 ne faisaient pas quatre-vingt quelque. J'aurais facilement pu terminer dans la période limite de 63 heures. En me réchauffant et en mangeant un peu, je me sentis mieux et je réalisai à quel point j'avais été stupide et combien mon régime était manifestement absurde. Je me sentis non seulement très mal, mais je n'arrivais en outre pas à avoir les idées claires.

Cette course m'a appris à quel point il est important de respecter son rythme, de prendre des décisions sensées, d'avoir des attentes raisonnables et d'accorder plus d'importance à l'alimentation et à l'hydratation. Notre corps a besoin de carburant, même si nous avons un surpoids de 15 ou 20 kilos dont nous nous passerions bien. Il y a un temps pour les régimes, pour l'entraînement et pour trouver son rythme, et nous devons tous apprendre à nous fixer des objectifs raisonnables pour être en mesure de dépasser nos limites. Je peux rire de moi-même et j'espère que vous en ferez de même lorsque vous vous rappellerez ma sottise pour éviter de faire la même erreur.

SURENTRAÎNEMENT

Il existe des opinions très différentes au sujet de l'exercice. Certaines personnes veulent faire de l'exercice à l'extrême, alors que d'autres ne veulent pas bouger du tout. Lorsque vous commencez ou reprenez votre programme d'exercices, prenez le temps de trouver le juste équilibre entre le fait de trop faire d'efforts et celui de ne pas en faire suffisamment. En vous entraînant selon les cycles que je viens de décrire, vous contribuerez à limiter les risques de blessure ainsi que celui d'une surcharge excessive sur vos muscles et votre système cardiovasculaire. Pratiquement toutes les personnes que j'ai entraînées ont voulu faire trop d'efforts et elles sont tombées dans l'extrême du surentraînement, qui occasionne habituellement de la fatigue, de l'insomnie, de l'irritabilité et une mauvaise performance. Quel que soit l'effort que vous déployez, votre corps ne peut tout simplement pas faire les mêmes choses qu'avant. C'est incroyablement décourageant. Si vous vous obstinez à essayer de dépasser vos capacités actuelles, non seulement aggraverez-vous la fatigue et les symptômes de surentraînement, si bien que vous mettrez plus de temps à vous rétablir, mais vous vous exposerez en outre à un risque accru de blessure et d'infection virale comme les infections des voies respiratoires supérieures. Le surentraînement annule les bienfaits de l'exercice pendant et après le traitement du cancer.

Le surentraînement ne disparaît pas en s'efforçant un peu plus ou plus longtemps. C'est le repos qui vous permettra de vous sortir de ce cercle vicieux. Plus vous reconnaîtrez rapidement que vous faites violence à votre corps depuis trop longtemps, et plus vous pourrez reprendre vite votre horaire normal d'exercice, mais seulement après plusieurs jours de récupération active ou de vrai repos (aucune activité). Pour les personnes très actives (personnalités de type A), il peut être difficile de se retenir, de prendre quelques jours de repos et d'écouter leur corps. Pour les personnes qui font de l'exercice avec moins de motivation et d'intensité, l'idée même de surentraînement peut paraître quasiment irréaliste, mais si vous vous investissez dans un programme d'exercices, même sans chercher à être compétitif, vous pouvez être victime de surentraînement.

> Apprendre à trouver mon rythme et à savoir me limiter les jours de repos a été la partie la plus difficile de mon programme d'exercices. Au début, je m'efforçais constamment, même les jours de repos, puis j'ai été découragé parce que je ne pouvais plus courir aussi vite ou aussi loin. J'étais tout le temps fatigué et je dormais mal. Plus je m'efforçais et moins j'étais performant. Après avoir passé plusieurs jours à lutter contre moi-même, j'ai fini par me demander si je ne souffrais pas de surentraînement. J'ai alors pris trois jours de repos sans faire aucune activité puis je me suis remis à courir sur de courtes distances. Quel bien-être! Mais ces trois jours sans exercice ont été particulièrement difficiles!
>
> – Larry, chef d'entreprise de 63 ans atteint d'une leucémie.

JOURNÉES D'EXERCICE MANQUÉES : TEMPS, MALADIE ET IMPRÉVUS

Il y aura bien évidemment des moments où, à cause de la maladie, du temps et d'autres circonstances imprévues, vous devrez modifier votre plan d'exercices. Cela fait partie des éventualités – même que certaines personnes les apprécient. Si vous avez manqué quelques jours d'exercice en raison du mauvais temps, reprenez simplement votre plan d'exercices en effectuant ce que vous aviez prévu pour le jour même. Ne retournez pas en arrière pour rattraper le temps perdu en pratiquant les exercices prévus pour les journées manquées, mais continuez plutôt à avancer en reprenant votre programme à partir du jour même. Ceci dit, si vous avez manqué quelques jours ou une semaine d'exercices pour des raisons de maladie, ne reprenez pas votre plan en effectuant les exercices prévus pour le jour même, mais recommencez avec 2 ou 3 jours d'exercices faciles et légers. Écoutez votre corps, et laissez votre niveau de respiration et d'énergie ainsi que votre forme musculaire guider l'intensité de vos exercices pour reprendre votre plan.

L'histoire de Sam démontre l'importance de modifier son programme d'exercices pour être en mesure de faire de l'exercice pendant le traitement. Sam était un coureur de marathon de 34 ans lorsqu'un mélanome en phase 3 lui a été diagnostiqué. Son traitement consistait en une opération chirurgicale, suivie d'injections d'interféron alpha en doses élevées pratiquement chaque jour pendant un an. L'interféron alpha est un médicament qui occasionne des effets secondaires s'apparentant à une grippe ainsi qu'une profonde fatigue, et il force souvent les gens à arrêter de travailler puisqu'ils deviennent incapables de faire autre chose que de rester allongés. Il s'agit d'un des médicaments d'immunothérapie dont les effets secondaires sont les plus désagréables. Il peut arriver que la fatigue occasionnée par l'interféron alpha soit tellement extrême qu'il devienne nécessaire de réduire les doses. Sam était effrayé à l'idée du traitement et de la perspective de ne plus être en forme, mais la possibilité de mourir de sa maladie était encore plus angoissante. Il a donc commencé le traitement, non sans une grande angoisse et une certaine réticence, et il s'est inscrit à un de mes programmes en parallèle. J'ai demandé à Sam de limiter sa pratique à quatre fois par semaine et de faire de l'exercice à une intensité deux fois moins élevée qu'à son habitude. Sam était déterminé à ne pas perdre sa condition physique, mais à force de persuasion et en examinant de façon systématique le programme de course, il finit par accepter de couper son programme d'exercices en deux. Il faisait religieusement ses exercices à raison de quatre fois par semaine, et, après six semaines de traitement par interféron alpha, il me confia: « Je n'aurais jamais pu maintenir mon rythme habituel. Si je n'avais pas suivi vos conseils, je me serais tellement efforcé que je n'aurais pas pu continuer à faire de l'exercice, et j'aurais probablement dû tout arrêter. »

Bien que Sam ne fût pas en mesure de s'entraîner à l'intensité habituelle, le programme de course modifié lui permit de courir pendant son traitement. Sam m'expliqua que le fait de courir l'aidait à combattre sa fatigue et sa dépression et lui permettait de maintenir un niveau d'énergie suffisant pour mener à bien la plupart de ses activités habituelles. Vers la fin de son traitement, il me dit: « Mon entraînement n'a jamais été aussi léger et je ne crois pas que j'aurais pu m'efforcer davantage. Quatre jours d'exercices sont suffisants pour que je me sente mieux sur le plan émotionnel et pour que je maintienne une bonne condition physique. »

PERFORMANCE MAXIMALE

Qu'entend-on par performance maximale? Il s'agit d'être en meilleure forme possible et de réaliser votre meilleure performance le jour où vous en avez besoin ou d'être dans un état physique et psychologique optimal pour un événement important, comme diriger une marche, participer à une course, vous rendre à une entrevue ou passer un test. Comment atteindre ce niveau maximal ? Il n'existe pas de réponse précise à cette question. Atteindre une performance maximale au bon moment est à la fois un art et une science. Si les sportifs et les entraîneurs en savaient plus sur le sujet, un plus grand nombre de records seraient battus. Un entraînement approprié et une attention particulière à votre corps vous aideront à atteindre votre performance maximale au moment voulu. Votre programme doit être structuré et divisé en périodes d'effort plus intense et en périodes de repos et de récupération. Si vous vous entraînez en vue d'un événement précis, comme l'ascension d'une montagne, un parcours à vélo ou une course sur cinq kilomètres, il vous faudra vous concentrer sur l'activité en question (par exemple la randonnée, le cyclisme ou la course) et élaborer votre programme d'exercices selon une périodisation, qui est une structure d'entraînement organisée en cycles sur une période prolongée (microcycle, mésocycle et macrocycle).

Il serait idéal de pouvoir atteindre votre performance maximale lors de chacune de vos séances d'exercices ou lors de tous les événements auxquels vous avez prévu de participer, mais ce n'est vraisemblablement pas réalisable. Si vous faites une course à vélo ou une marche en groupe tous les week-ends, vous vous sentirez parfois en très bonne forme et vous aurez la sensation que rien ne peut vous arrêter, et il y aura également des jours où vous ne parviendrez pas à trouver votre rythme. Ces hauts et ces bas peuvent être reliés aux difficultés de la vie, à votre santé, au stress que vous subissez, à votre travail ou à votre programme d'exercices. En supposant que vous soyez un sportif du dimanche et que vous vous joigniez à un groupe tous les week-ends pour courir ou faire du vélo, il ne serait pas raisonnable de ralentir le rythme juste avant le week-end. Cette méthode vous mettrait dans un état lamentable ! Je vous suggère de choisir quelques événements (entre 1 et 3) à l'occasion desquels vous aimeriez atteindre votre performance maximale. Assurez-vous de laisser au moins six semaines entre ces événements afin que votre corps et votre esprit aient la possibilité de se reposer, de récupérer, et de vous permettre de vous concentrer avant le prochain cycle d'entraînement et d'effort maximal. Les événements suivants sont au nombre de ceux pour lesquels mes patients se sont entraînés en vue d'atteindre leur meilleure performance : 1) jouer avec les petits-enfants qui leur rendront visite dans quelques mois ; 2) réussir à suivre le groupe de marche, de course ou de cyclisme ; 3) participer au triathlon de Danskin ; 4) faire l'ascension d'une montagne ; 5) traverser les États-Unis à vélo ; 6) faire une randonnée dans le Grand Canyon ; 7) s'entraîner pour participer à un championnat national. Pour atteindre ces objectifs, chacun des sportifs devait élaborer un programme d'exercices structuré et progressif pour rester axé sur son but et pour trouver le temps de se reposer et de récupérer avant l'événement, ce qui lui permettrait d'atteindre sa performance maximale.

ATTEINDRE SA PERFORMANCE
MAXIMALE SUR DEMANDE

Comment faut-il s'entraîner pour atteindre sa performance maximale sur demande ? Prenez un calendrier et inscrivez-y les événements pour lesquels vous voulez être au mieux de votre forme. Comptez ensuite le nombre de semaines vous séparant du premier événement. Évaluez votre condition physique et votre tolérance à l'exercice. Est-il préférable que vous respectiez des cycles de trois ou de quatre semaines (mésocycles)? Soyez réaliste. Vous ne devez pas faire trop d'efforts pour éviter le surentraînement. Comptez maintenant le nombre de mésocycles vous séparant de la date de l'événement. En fonction de la durée de l'événement que vous visez, vous aurez besoin d'établir une période de ralentissement et de récupération active au moins une semaine avant le grand jour. Élaborez ensuite votre programme en y incluant les semaines d'exercice à intensité élevée et modérée, et les semaines de récupération jusqu'au jour de l'événement. Rappelez-vous que la dernière semaine de votre plan doit être une semaine de récupération active!

Avant les événements importants, les sportifs de haut niveau ressentent souvent une fatigue extrême. Leur corps est alors en phase de ralentissement et commence à amasser de l'énergie. La fatigue est normale, et lorsque le grand jour arrivera, vous vous sentirez revigoré et prêt à atteindre votre potentiel maximum.

En 1990, j'ai battu mon propre record de distance parcourue en 24 heures de course à vélo sur un circuit de 670 kilomètres en Floride. Au cours des deux semaines de récupération précédant l'événement, j'étais abattue par la fatigue. Mes jambes étaient lourdes et fatiguées et j'avais l'impression d'être collée à mon lit. Je n'avais qu'une envie: dormir. Je ne m'étais jamais sentie dans un tel état et je ne parvenais pas à comprendre comment, au cours des semaines précédentes, j'avais réussi à parcourir des centaines de kilomètres. Je ne m'imaginais même pas capable de parcourir 20 kilomètres. Je subissais un stress d'anticipation. Mon corps prenait du recul et rassemblait de l'énergie pour l'événement le plus compétitif de toute ma vie. Le soir précédant l'événement, j'étais effrayée et j'avais la sensation que tout cela faisait partie d'un rêve. Je me demandai pourquoi je m'étais imaginée capable de relever un tel défi et pourquoi j'avais dit à autant de personnes, y compris aux médias (oh non!), que j'allais tenter de battre un record qui n'avait jamais été battu en 10 ans. Étais-je devenue folle? Heureusement, le matin suivant, je me réveillai pleine d'énergie et me sentis à nouveau vivante. Mes jambes étaient reposées et prêtes à travailler, et mon objectif était de maintenir ma fréquence cardiaque cible, de conserver une position aérodynamique et de garder un bon rythme. J'ai eu l'occasion de remarquer qu'à chaque fois que j'ai tenté d'atteindre ma performance maximale à l'occasion d'un événement, qu'il s'agisse d'un autre record du monde ou d'une randonnée prolongée dans le Grand Canyon, j'ai eu cette même sensation d'extrême fatigue. C'est la façon qu'a mon corps de récupérer activement et de se préparer. Vous apprendrez également comment votre corps réagit à la récupération et au stress. Ne désespérez pas, vous aussi vous vous relèverez et parviendrez à être au meilleur de votre forme.

RÉSUMÉ

Dans ce chapitre, nous avons examiné les bases scientifiques permettant d'élaborer un plan d'exercice efficace et sans danger. Vous pouvez utiliser ces renseignements pour modifier votre programme d'exercices d'aérobie En forme pour combattre le cancer ou pour élaborer votre propre programme. En élaborant un programme d'entraînement adapté à vos capacités et à vos objectifs personnels réalistes, vous aurez plus de chances d'atteindre votre but et de réaliser votre performance maximale au moment voulu. La partie la plus importante de l'exercice est d'apprendre à écouter votre corps et à interpréter ce qu'il vous dit. Est-ce que votre fatigue est reliée à vos émotions ou au fait que vous avez imposé un peu trop d'efforts à votre corps? Les messages que vous envoie votre corps sont un facteur essentiel à prendre en considération si vous voulez améliorer votre condition physique, éviter le surentraîne-ment, savoir quand reprendre l'exercice après une maladie, atteindre vos objectifs personnels et réaliser votre performance maximale.

CHAPITRE 8

PRINCIPES DE BASE
DES EXERCICES DE RÉSISTANCE

Ce chapitre fournit des renseignements sur la base des exercices de résistance et sur ce qu'il est nécessaire de savoir lorsqu'on veut élaborer son propre programme d'exercices de résistance En forme pour combattre le cancer avec l'intention de modeler son corps ou de renforcer sa musculature. Comme le chapitre précédent, celui-ci vous offrira des connaissances qui vous permettront de créer un programme scientifique sain, efficace et sans danger.

ADAPTATION DES MUSCLES
AUX EXERCICES DE RÉSISTANCE

Le travail et la surcharge augmentent notre force et notre endurance musculaires. Les muscles s'adaptent aux exigences de l'exercice, se renforcent progressivement et sont davantage en mesure de résister aux tensions occasionnées par l'activité et l'exercice quotidiens. La plupart du temps, la surcharge exercée sur les muscles se fait par l'entremise d'un *exercice de résistance* ou en levant des poids. Le corps réagit à la surcharge imposée par l'exercice de résistance en augmentant la taille de la fibre musculaire et en augmentant la masse musculaire maigre du corps. Les exercices de résistance ne se contentent pas de renforcer et d'améliorer l'endurance musculaire, ils améliorent également la capacité du muscle à récupérer après avoir forcé ou effectué diverses activités. Étant donné que les exercices de résistance améliorent votre condition physique, vous menez à bien vos activités quotidiennes avec plus de facilité et vous bénéficiez d'une plus grande confiance en vous, comme c'est le cas avec les exercices d'aérobie. L'augmentation de la masse musculaire de votre corps brûle plus de calories que ne le fait la graisse, ce qui est un autre avantage des exercices de résistance, alors même lorsque vous vous reposez, vous brûlez plus de calories par jour que lorsque vous aviez moins de masse musculaire avant de commencer votre programme d'exercices de résistance.

Les recherches ont également démontré que les exercices de résistance pouvaient diminuer le taux de graisse, la tolérance au glucose et le taux de lipides dans le sang, et qu'ils pouvaient améliorer la densité osseuse. En résumé, les exercices de résistance peuvent réduire les risques de maladies cardiaques, de diabète de type 2 et d'ostéoporose. Les exercices de résistance renforcent non seulement vos muscles mais également le tissu conjonctif entourant vos articulations et vos os. Une bonne musculature et des tissus conjonctifs solides vous font bénéficier d'une meilleure force musculaire permettant d'éviter, ou à tout le moins de réduire, les risques de blessures à la suite de chutes, de tensions musculaires ou d'entorses. Les exercices de résistance appliquent une certaine tension sur vos os, ce qui a pour effet de développer et d'augmenter la densité et la masse osseuse et de réduire le risque d'ostéoporose. Il existe même des recherches suggérant que la pratique régulière d'exercices de résistance peut ralentir la détérioration physique et la dégénérescence reliés au vieillissement. Ces études ont démontré que les personnes sédentaires perdaient environ 20 à 30 % de leur masse musculaire avant 65 ans. À l'inverse, les personnes ayant pratiqué des exercices de résistance conservaient leur masse musculaire ou l'augmentaient.

RÉDUIRE LES RISQUES POUR LA SANTÉ

Bob et Ruth formaient un couple sédentaire de personnes âgées très distinguées. La lecture et les repas de fine cuisine française faisaient partie de leurs activités préférées. À l'âge de 78 ans, Bob fut diagnostiqué avec un cancer de la prostate et il commença à suivre un traitement qui entraînait une atrophie musculaire qui l'affaiblissait et le fatiguait. Bob n'avait pas vraiment peur de mourir de son cancer, mais il se faisait plutôt du souci à cause de son taux de cholestérol extrêmement élevé, quelque chose qu'il avait découvert lorsque son cancer avait été diagnostiqué. Bob et Ruth étaient tous deux minces, ils avaient de petites masses musculaires et ressentaient beaucoup de douleurs musculaires et articulaires. Bob ne fut pas surpris quand on lui donna des conseils quant à la façon de modifier ses habitudes de vie pour diminuer son taux de cholestérol et les risques de crise cardiaque. Il était cultivé et savait très bien en quoi consistait une vie saine, mais il n'avait jamais pensé avoir un jour un taux de cholestérol aussi élevé et être exposé de façon aussi importante à un risque de crise cardiaque. Il était mince après tout! Son ignorance quant aux facteurs de risque d'une crise cardiaque avait eu sur lui l'effet d'un choc. Avec son niveau de cholestérol et ses traitements contre le cancer, il se sentait vulnérable. Il était effrayé par la perspective de perdre le peu de masse musculaire qu'il avait à cause du traitement, ce qu'il trouvait amusant à plusieurs égards, étant donné qu'il n'avait jamais été un homme très musclé. Bob et Ruth entreprirent un programme composé d'exercices d'aérobie et de résistance. Leur objectif était de faire de l'exercice trois fois par semaine. Le lundi et le vendredi, ils marchaient entre 10 et 15 minutes et faisaient six exercices de résistance qui ciblaient leurs principaux groupes musculaires, et le mercredi, ils faisaient une promenade plus longue autour d'un petit lac près de leur maison. Il leur fallut plusieurs semaines pour s'habituer à ce nouveau rythme de vie. Au début, aucun des deux ne pouvait imaginer intégrer 30 minutes d'exercice à leurs horaires déjà très chargés, mais avec le temps, ils finirent par réaliser qu'en maintenant une certaine régularité dans leurs horaires, ils parvenaient mieux à atteindre leurs objectifs d'exercices hebdomadaires. Ils étaient heureux de faire de l'exercice ensemble et lorsqu'un des deux manquait de motivation, l'autre le poussait à aller jusqu'au bout. De cette façon, ils se maintenaient réciproquement sur la bonne voie pour atteindre leurs objectifs d'exercices hebdomadaires.

Après huit semaines d'exercice, le niveau de cholestérol de Bob avait diminué et il commença à remarquer que des muscles se dessinaient progressivement sur ses bras, là où il n'en avait jamais eu. Bob et sa femme étaient tous les deux surpris de constater que leurs douleurs au dos et aux articulations les faisaient moins souffrir, ce qui s'expliquait par le fait que leurs muscles se renforçaient et qu'ils passaient moins de temps assis. Ils étaient ravis de profiter d'autant de bienfaits en faisant seulement de 30 à 45 minutes d'exercice quelques jours par semaine. Ils étaient maintenant devenus des sportifs réguliers et leur but était de ralentir le processus de vieillissement et de faire tout ce qui était en leur pouvoir pour prévenir les problèmes qui pouvaient être évités, comme le cholestérol et l'hypertension, et bien sûr limiter la perte musculaire reliée au traitement que subissait Bob pour soigner son cancer.

QUELQUES PRINCIPES DE BASE DES EXERCICES DE RÉSISTANCE

Un principe de base très important est de se reposer pendant au moins 48 heures (tous les deux jours) entre chaque entraînement. Ce repos permet aux muscles de récupérer et d'éviter les blessures éventuelles. Le principe du repos est particulièrement important lorsque nous prenons de l'âge et que nos muscles ont besoin de plus de temps pour récupérer après avoir subi les tensions créées par des exercices de résistance.

Lorsque vous soulevez des poids ou que vous faites des exercices de résistance, vous devez toujours commencer par faire travailler les muscles les plus importants en premier puis les groupes musculaires de plus en plus petits à mesure que vous vous rapprochez de la fin de votre période d'exercice. Vous devez donc commencer par des exercices qui font travailler les muscles de la poitrine, comme le développé couché ou le développé incliné avec les haltères. Les exercices faisant travailler les jambes doivent commencer par les allongés, les flexions ou le développé des jambes. Tous ces exercices font travailler les quadriceps (devant des cuisses), les ischio-jambiers (à l'arrière des cuisses) et les muscles fessiers. Passez ensuite aux muscles du haut du corps, en vous concentrant sur le dos, les épaules, les biceps et les triceps. Les exercices axés sur le bas du corps doivent également faire travailler des groupes musculaires individuels précis, comme les ischio-jambiers, les muscles fessiers, les abducteurs (extérieur des hanches et des cuisses), les adducteurs (intérieur des cuisses) et les mollets.

En fonction de vos objectifs d'exercice et du nombre de jours pendant lesquels vous prévoyez faire des exercices de résistance, vous pouvez alterner le travail du haut et du bas du corps pendant votre entraînement d'exercices de résistance. Toutefois, certains experts d'entraînement aux poids recommandent de consacrer une journée sur le haut du corps seulement, et une autre journée sur le bas du corps. J'ai personnellement toujours préféré alterner les exercices du haut et du bas du corps pendant un même entraînement d'exercices de résistance. De cette façon, je peux terminer mon entraînement plus rapidement parce que je n'ai pas besoin de passer trop de temps à me reposer entre chaque série. Par exemple, je peux faire une série de développés pectoraux puis faire une série de flexions ou d'allongés, et reprendre une série de développés pectoraux sans avoir à m'arrêter. En alternant les exercices pour les jambes et pour les bras, je profite également des bienfaits d'un entraînement qui ressemble davantage à de l'aérobie, c'est-à-dire que ma fréquence cardiaque s'accélère légèrement étant donné que je ne me repose pas entre chaque série. Enfin, il me semble qu'en appliquant cette méthode, je suis moins fatiguée. Si j'étais un haltérophile ou un culturiste, ce qui est loin d'être le cas, il serait plus efficace d'épuiser mes muscles pour les développer et les renforcer plus rapidement. Toutefois, étant donné que la plupart d'entre nous ne faisons pas nos exercices de résistance dans le but de ressembler au culturiste Charles Atlas, le fait d'appliquer une approche plus modérée de deux jours d'exercices de résistance par semaine devrait être suffisant pour constater une amélioration non seulement sur le plan musculaire, mais également sur celui de la santé.

DÉVELOPPER UNE FORCE DE BASE

« Se tenir droit » est un concept essentiel du programme d'exercices de résistance En forme pour combattre le cancer. La force de base fait appel aux muscles du dos, de l'abdomen et des hanches. Ces muscles sont indispensables au soutien de votre squelette ainsi qu'au maintien d'un alignement correct du corps et de la force nécessaire pour effectuer les activités quotidiennes sans avoir à faire trop d'efforts ni à souffrir. La faiblesse et le déséquilibre musculaires affectant vos muscles principaux peuvent entraîner des douleurs de la nuque, du dos, du bassin, des hanches ou des genoux. Prenez quelques secondes avant chaque exercice pour réfléchir à l'expression « se tenir droit » en étirant votre colonne vertébrale, les épaules en arrière et détendues, en contractant votre abdomen et en utilisant vos hanches pour maintenir un bon équilibre. Si vous faites un effort pour vous tenir droit avant de commencer chaque exercice, cela deviendra une habitude et vous verrez que vous parviendrez à vous concentrer davantage sur l'exercice et moins sur la position de votre corps. Pour réussir un exercice de résistance, il est également nécessaire de respirer doucement, profondément et uniformément. Lorsque vous effectuez les exercices, pensez à vous tenir droit et à utiliser vos muscles principaux pour fournir une base solide à vos exercices. Si vos muscles principaux sont forts, vous serez moins exposé aux douleurs et ressentirez moins d'inconfort lorsque vous serez debout ou en position assise pendant de plus longues périodes.

SE CONCENTRER SUR LA BONNE POSTURE

Tout au long de ce livre, j'ai insisté sur l'importance d'effectuer les exercices correctement et de se concentrer sur la qualité, et non la quantité, qu'il s'agisse d'exercices d'aérobie ou de résistance. En faire plus n'est pas forcément mieux : l'important est d'avoir une bonne posture. Lorsque vous effectuez des exercices de résistance, il est essentiel de respecter la bonne posture si vous voulez éviter de vous blesser et profiter des bienfaits de l'exercice. Si vous n'utilisez pas de bandes de résistance, assurez-vous de respecter vos limites ; ne soyez pas trop zélé ou compétitif en essayant de soulever plus de poids que vous n'en êtes capable. Vous trouverez ci-dessous quelques règles de base sur la façon d'apprendre quelle est la bonne posture et comment la maintenir.

1. *Faites-le bien.* Assurez-vous que vous comprenez bien la position dont il s'agit et la façon avec laquelle vous devez tenir la bande ou le poids. Lisez les indications expliquant quelle est l'exécution correcte ou demandez à quelqu'un de vous aider à faire les exercices correctement. Vous devez comprendre quel groupe de muscles est visé par l'exercice et veiller à solliciter ceux-ci lorsque vous faites l'exercice. Sentez le muscle se contracter. Utilisez-vous d'autres muscles ? Le fait d'effectuer davantage de répétitions en ne respectant pas l'exécution correcte recommandée ne stimule pas les muscles de façon efficace et ne vous permettra pas d'atteindre un résultat optimal.

2. *Ne faites pas trop d'efforts.* Lorsque vous commencez un nouvel exercice, veillez à ce que la résistance ne soit pas trop forte ou à ce que le poids ne soit pas trop lourd.

Rappelez-vous de la règle numéro 1 : faites-le bien. Si vous avez du mal à soulever un poids trop lourd, vous ne pouvez pas vous concentrer sur la sensation du mouvement et sur la façon dont vos muscles travaillent. Apprenez à maîtriser la technique avant d'augmenter la résistance.

3. *Observez-vous.* Mettez-vous en face d'un miroir et vérifiez votre mouvement. Les haltérophiles ne sont pas aussi narcissiques qu'on le pense. Il est important de se regarder dans un miroir pour une bonne raison. Observez-vous et vérifiez si vous commencez chaque exercice en vous tenant droit. Votre mouvement est-il régulier ? Est-ce que vous allez bien jusqu'au bout du mouvement avec le poids ou la bande ?

4. *Demandez de l'aide.* Si, après avoir effectué des exercices avec un poids léger en vous observant dans le miroir, vous vous sentez toujours maladroit ou vous voulez simplement vous assurer que vous effectuez les exercices correctement, demandez à votre partenaire d'entraînement de vous aider ou, si possible, demandez à un entraîneur, un physiothérapeute ou un kinésithérapeute de vérifier votre posture. La plupart des gens travaillant dans un club de gym ne voudront pas risquer de vous vexer et ne prendront pas le temps de vous dire que vous vous y prenez mal. Si vous pensez que vous n'effectuez pas vos exercices correctement, ne perdez pas de temps avec ça et ne vous exposez pas à des blessures potentielles : remettez votre séance à un moment où vous serez certain d'avoir de l'aide pour adopter la bonne posture.

5. *Choisissez la bonne résistance ou le bon poids.* Pour commencer, soyez conscient que tout est relatif et que

certains de vos muscles peuvent être forts et d'autres plus faibles. Ce qui pour vous est un poids léger peut être incroyablement lourd pour quelqu'un d'autre. Cette composante essentielle des exercices de résistance est souvent mal comprise. Je vois habituellement des femmes soulever des poids qui sont trop légers et des hommes en soulever de beaucoup trop lourds. Alors, comment décider de ce qui est lourd, modéré ou léger ? Utilisez ces définitions générales :

Lourd fait référence à un poids ou une bande de résistance que vous pouvez correctement soulever ou étirer entre 5 et 8 fois.

Modéré fait référence à un poids ou une bande de résistance que vous pouvez correctement soulever ou étirer entre 8 et 10 fois.

Léger fait référence à un poids ou une bande de résistance que vous pouvez correctement soulever ou étirer entre 12 et 15 fois.

6. *N'en faites pas trop.* Votre objectif premier est de faire de l'exercice sans risque de vous blesser et de façon efficace. Si vous essayez de soulever plus de poids que ce que votre force vous permet de faire, vous risquez de vous blesser gravement. Déployer un peu d'efforts est une bonne chose, mais rappelez-vous qu'il vous faudra du temps, de la persévérance et de la patience pour développer votre force.

PRINCIPES DE L'ENTRAÎNEMENT

Comme c'est le cas lorsque vous élaborez un programme d'exercices d'aérobie, vous devez comprendre comment organiser vos périodes d'exercice en cycles. Un bienfait fort appréciable des exercices de résistance est que l'amélioration se fait rapidement ressentir, surtout lorsque vous débutez. La pratique en microcycles entraînera rapidement une amélioration de votre force. Avec le temps, toutefois, vous constaterez qu'à certains moments cette amélioration atteint un seuil précis auquel elle se maintiendra un certain temps. Cela arrive souvent lorsque vous avez fait beaucoup d'efforts pendant plusieurs semaines et que votre corps a besoin de se reposer. De même que pour le programme d'exercices d'aérobie, le repos est une composante importante pour la réussite d'un programme d'exercices de résistance. Vous devez structurer votre programme d'exercices de résistance pour y intégrer une semaine de récupération. Envisagez votre plan d'exercices de résistance comme une succession de périodes de travail modéré, de travail intense et de récupération. Votre plan ressemble-t-il à un mésocycle? Ça devrait être le cas. Les haltérophiles divisent leur entraînement en cycles, comme le font les sportifs qui pratiquent l'aérobie.

Que faites-vous pendant une semaine de récupération? Continuez à soulever des poids ou à utiliser vos bandes, mais utilisez des poids plus légers ou des résistances moins fortes, et diminuez le nombre de séries que vous effectuez. Profitez de votre semaine de récupération pour réfléchir à votre posture et à votre technique. Bien souvent, lorsque nous nous efforçons de soulever un poids un peu plus lourd ou à faire plus de répétitions, notre posture perd de sa qualité et nous compensons en trichant et en utilisant d'autres muscles afin de pouvoir continuer à soulever le poids. Pendant votre période de récupération, allez-y doucement avec votre poids, pensez à bien aller jusqu'au bout du mouvement, efforcez-vous d'utiliser seulement le muscle ou le groupe musculaire visé et concentrez-vous sur ce que vous ressentez au point de vue musculaire. Rappelez-vous que la qualité de votre exercice est bien plus importante que sa quantité. Il est préférable d'effectuer 4 répétitions correctement que 10 répétitions de mauvaise qualité.

COMBINER LES EXERCICES D'AÉROBIE ET DE RÉSISTANCE

Si vous souhaitez intégrer des exercices de résistance à votre plan d'exercices d'aérobie, vous pouvez le faire de plusieurs façons. Une des décisions à prendre concerne le temps : voulez-vous augmenter le nombre de jours pendant lesquels vous faites de l'exercice ou y consacrer plus de temps dans une même journée ? Une des possibilités qui s'offre à vous est d'alterner les journées d'exercices d'aérobie et de résistance en augmentant ainsi le nombre de jours où vous faites de l'exercice dans la semaine. Votre semaine pourrait donc être divisée en exercices d'aérobie le lundi, le mercredi et le vendredi, et en exercices de résistance le mardi et le jeudi. Vous pourriez alterner en consacrant trois jours par semaine à vos exercices de résistance et deux jours aux exercices d'aérobie. Un programme d'exercices combinés vous permettra de profiter de l'ensemble des bienfaits du sport : force, endurance, tonus, forme, santé et bien-être.

PRENDRE DU VOLUME OU MODELER

La question que l'on se pose inévitablement est : Combien de répétitions et de séries dois-je faire ? Vous devez tout d'abord répondre à quelques questions : Faites-vous des exercices de résistance pour retrouver un peu de la force que vous avez perdue pendant votre maladie ? Pour améliorer votre santé générale ? Pour modeler votre corps ? Pour avoir des muscles plus volumineux ? Si votre objectif est de retrouver votre force, essayez d'aller au bout de 2 ou 3 séries de 8 à 10 répétitions. Les instructions fournies dans le programme En forme pour combattre le cancer (chapitre 9) peuvent vous aider à décider à quel moment augmenter la résistance ou le poids. À des fins générales de santé, l'Association américaine de médecine du sport et des sciences de l'exercice (American College of Sports Medicine, ACSM) recommande d'effectuer une série de 8 à 10 répétitions à l'aide d'un poids modéré à lourd, au moins deux fois par semaine, afin de conserver et d'améliorer votre santé. L'ACSM suggère d'effectuer des exercices de résistance axés sur les principaux groupes musculaires.

Pour modeler davantage votre corps en travaillant sur le muscle en longueur, vous devrez adopter une méthode qui se rapproche de l'endurance en augmentant le nombre de répétitions. Évidemment, pour pouvoir augmenter le nombre de répétitions, vous devrez diminuer le poids ou la résistance. Lorsque j'ai commencé à pratiquer ce type d'exercice pour la première fois, j'ai été surprise de ne parvenir à soulever que des poids légers, mais j'étais cependant capable de terminer mes exercices. Si vous choisissez cette méthode d'exercices de résistance, essayez de ne pas dépasser 2 ou 3 séries de 18 à 22 répétitions. Soyez toutefois vigilant : vos muscles seront douloureux lorsque vous commencerez ce type d'exercice.

Vous devez être conscient qu'en travaillant dans le but d'avoir un corps modelé, vous ne développerez pas la puissance d'une personne qui soulève plus de poids et fait moins de répétitions, mais vos muscles seront bien définis et auront une meilleure endurance.

Si votre but est d'avoir des muscles plus volumineux, vous devez vous efforcer de faire moins de répétitions et de soulever des poids plus lourds. Une méthode très courante pour développer la force et la masse musculaire est la méthode pyramidale. Elle consiste à commencer par exemple avec 10 répétitions en utilisant un poids léger, puis à augmenter le poids et à diminuer le nombre de répétitions à chaque série. À la dernière série, il est possible que vous soyez en mesure de soulever le poids seulement 1 ou 2 fois. Un ami pourrait vous surveiller de façon à ce que vous évitiez de vous blesser. Je ne recommande généralement pas cette méthode, à moins que vous n'ayez l'intention de retrouver vos forces pour reprendre un sport de compétition ou de développer votre musculature.

Si vous cherchez simplement à utiliser les exercices de résistance comme un moyen d'améliorer votre santé pendant et après le traitement, je vous recommande de suivre un programme intégré d'exercices de résistance et d'aérobie. Pour commencer, essayez les programmes En forme pour combattre le cancer. Si vous voulez faire plus d'exercices ou si vous voulez essayer des exercices différents, suivez les directives contenues dans ce chapitre et dans le chapitre précédent pour adapter votre programme à vos besoins et à vos objectifs personnels.

NE RESTEZ PAS DANS UNE IMPASSE

Variez vos exercices. Les gens commencent souvent avec de 6 à 8 exercices et s'en tiennent à cela à chaque fois qu'ils s'entraînent. Le problème de cette méthode est que vos muscles se renforcent pour ces mouvements en particulier, alors qu'il est important de pouvoir les utiliser dans différentes positions. Après tout, notre vie quotidienne est fluide et n'est pas limitée à un seul mouvement. Si vous voulez développer une force musculaire fonctionnelle et utile, vous devez varier votre entraînement. Faites des allongés sur place, des allongés en marchant et des flexions des biceps debout et assis. Ces exercices sont fondamentalement les mêmes, mais le fait de changer de position contribue à renforcer nos muscles à des angles légèrement différents, nous procurant ainsi une force plus fonctionnelle.

Il est facile de rester coincé dans le même modèle d'exercices. Vous prenez l'habitude de faire « vos » exercices, vous les maîtrisez bien et savez comment préparer le matériel. Nous nous retrouvons souvent dans une impasse parce que nous ne connaissons pas d'autres exercices qui pourraient cibler de façon efficace le même groupe de muscles en abordant le mouvement à un angle différent. Ce livre vous propose quelques exercices, mais il en existe de nombreux autres que vous pouvez effectuer pour renforcer votre corps de façon fonctionnelle, agréable et créative. Il pourrait être utile de demander l'aide d'un entraîneur ou de consulter quelques livres suggérant des exercices d'entraînement à base de poids.

JOURNÉES DE MALADIE ET SURENTRAÎNEMENT

Sur ce point, les exercices de résistance ne sont pas différents des exercices d'aérobie. Si vous êtes malade, faites une pause et laissez à votre corps le temps de guérir. Si vous faites des efforts au point d'être victime de surentraînement, prenez quelques jours de repos. Si vous vous investissez dans votre programme d'exercices au point d'être effrayé à l'idée de faire une pause, divisez le poids d'au moins 30 % et réduisez également le nombre de répétitions et de séries. Profitez de ce moment de récupération pour vous concentrer sur votre posture. Il est plus rare de risquer le surentraînement avec des exercices de résistance qu'avec des exercices d'aérobie, si l'on considère que votre corps continue à travailler pendant les périodes de récupération entre des exercices de résistance. Les conséquences les plus fréquentes d'un surentraînement relié aux exercices de résistances sont les douleurs musculaires et la fatigue accrue. La sensation que j'associe souvent au surentraînement est un sentiment de vide musculaire. Mes muscles semblent alors vidés de leur énergie et il me faut déployer beaucoup plus d'efforts que d'habitude pour terminer mes exercices. Habituellement, le simple fait de prendre quelques jours de repos et d'avoir une alimentation riche en glucides me remet rapidement en selle. J'insiste sur le fait que le repos est la meilleure façon de se rétablir d'une maladie ou du surentraînement. Prenez quelques jours pour que vos muscles récupèrent. Si vous ressentez un besoin pressant de faire du sport, faites une petite promenade.

RÉSUMÉ

Avoir un corps musclé, dynamique et souple ne peut qu'améliorer votre qualité de vie à mesure que le temps passe. Nous ne pouvons manifestement pas arrêter le temps, mais nous pouvons par contre retarder les effets du vieillissement sur notre corps. Si vous comptez élaborer votre propre programme d'exercices de résistance, assurez-vous qu'il contient des périodes de repos et de récupération, et donnez-vous le temps de progresser doucement, à votre rythme. Votre plan doit être constitué de différents exercices vous permettant de faire travailler vos muscles de différentes façons en ciblant les principaux muscles du corps. Il est important de développer et de conserver une musculature de base solide (afin de vous tenir droit) et une force musculaire bien équilibrée au sein de vos principaux groupes musculaires pour maintenir votre capacité fonctionnelle et votre autonomie, et pour profiter de votre famille et de vos amis lorsque vous traverserez différentes étapes de votre traitement contre le cancer, sans parler de l'éternelle quête de la fontaine de Jouvence.

POINTS À RETENIR

- Attendez au moins quatre semaines après votre opération chirurgicale avant de reprendre vos exercices de résistance, à moins que votre médecin ne vous autorise à recommencer avant.
- Commencez doucement et attendez-vous à progresser lentement.
- Observez les changements inhabituels qui pourraient se manifester dans votre corps. Si vous êtes à risque de faire un lymphœdème, mesurez le tour de votre bras ou

de votre jambe tous les matins. Si vous remarquez un gonflement, appelez votre équipe soignante, votre physiothérapeute ou votre kinésithérapeute. Il est important d'agir rapidement.

- Avant de commencer un exercice, pensez à vous tenir droit, détendez votre visage et respirez profondément.
- Effectuez chaque exercice lentement et veillez à aller jusqu'au bout du mouvement. Si vous remarquez que votre corps s'affaisse, compensez en utilisant d'autres muscles ou trouvez un autre moyen de tricher pour soulever plus de poids, puis arrêtez l'exercice et réduisez le poids ou la résistance. Votre priorité doit être de conserver une bonne posture.

CHAPITRE 9

PROGRAMME D'EXERCICES DE RÉSISTANCE EN FORME POUR COMBATTRE LE CANCER

Le programme d'exercices de résistance proposé dans ce chapitre peut être effectué seul ou combiné à un programme d'exercices d'aérobie. J'ai tenu compte des deux possibilités lorsque j'ai mené mes études sur l'exercice. Ce programme est simple et peut être exécuté en 30 minutes maximum. Si vous ne deviez choisir qu'un seul programme d'exercices, je vous suggèrerais de commencer par le programme d'exercices d'aérobie (chapitre 6), étant donné que les exercices d'aérobie procurent plus de bienfaits pour la santé à long terme et qu'ils vous permettront d'être en forme pendant et après votre traitement. Cependant, le programme d'exercices de résistance En forme pour combattre le cancer (tableau 6) est idéal si vous êtes alité, si vous souffrez d'une faiblesse musculaire à laquelle il faut remédier ou si vous voulez simplement retrouver vos forces.

Tableau 6

Programme d'exercices de résistance
EN FORME POUR COMBATTRE LE CANCER

À quelle fréquence dois-je effectuer les exercices de résistance? Deux ou 3 jours par semaine, en alternant les programmes d'exercices A et B. Ne faites pas ces exercices deux jours d'affilée.

Est-ce important ou est-ce gênant si je fais tous les exercices pour les bras ou les jambes d'un trait? Oui! Alternez entre les exercices faisant travailler le bas et le haut du corps pour permettre à chaque groupe musculaire de se reposer entre les exercices. Vous profiterez ainsi des bienfaits des exercices. Commencez par faire travailler les groupes musculaires importants (cuisses, dos et poitrine) puis faites travailler les groupes musculaires plus petits (par exemple mollets, biceps et triceps).

À quelle intensité dois-je effectuer mes exercices de résistance? Respectez vos capacités et restez dans votre zone de confort. Travaillez avec la bande élastique ou le poids en comptant jusqu'à 3, puis revenez à la position de départ en comptant également jusqu'à 3. La tension doit être la même pendant tout le mouvement. Assurez-vous de retenir la bande en reprenant votre position de départ sans la lâcher. N'oubliez pas de vous concentrer sur votre posture. Contractez vos muscles principaux (abdomen, dos et hanches) et respirez bien pendant les exercices.

Qu'est-ce qu'une répétition et une série? Il s'agit d'une sorte de jargon de l'entraînement en force musculaire. Un mouvement complet (c'est-à-dire soulever le poids ou étirer la bande élastique et revenir à la position de départ) s'appelle une répétition. Ainsi, si vous effectuez 8 répétitions, vous faites le mouvement complet de l'exercice 8 fois. Si vous avez fait 8 répétitions, vous êtes reposé pendant huit minutes, et avez effectué à nouveau 8 autres répétitions, vous avez alors fait 2 séries. Dans ce programme, une série est constituée de 8 à 12 répétitions.

Combien de répétitions et de séries de chaque exercice dois-je effectuer? Pour conserver et améliorer votre force, faites 2 ou 3 séries de 8 à 12 répétitions de chaque exercice. Si, après avoir maintenu ce rythme pendant quatre mois, vous souhaitez accroître votre endurance musculaire, augmentez le nombre de répétitions pour en faire entre 15 et 20 et diminuez la résistance ou le poids d'environ 25 %. Si vous utilisez une bande pour faire l'exercice, vous pouvez en choisir une dont la résistance est inférieure à celle que vous avez utilisée. Toutefois, si vous voulez développer progressivement votre force, vous devrez continuer à augmenter la résistance ou le poids avec lesquels vous travaillez. Continuez à faire 2 ou 3 séries de répétitions.

Est-ce que je peux faire des exercices de résistance deux jours d'affilée? Non, ce n'est pas une bonne idée. Vos muscles ont besoin de temps pour récupérer. Si vous effectuez des exercices de résistance deux jours d'affilée et travaillez les mêmes groupes musculaires, vos muscles seront douloureux, ce qui vous empêchera de progresser.

Rappelez-vous et notez: Dans votre carnet d'exercices (voir le chapitre 4), prenez note de la durée de vos exercices (nombre de minutes), de l'exercice effectué (A ou B), de la couleur de la bande élastique ou du poids que vous avez utilisé, et du nombre de répétitions et de séries que vous avez faites.

Comment puis-je savoir si je peux changer de résistance de l'élastique ou de poids? Lorsque vous parvenez à exécuter 3 séries de 12 répétitions en maintenant une bonne posture, vous êtes prêt à passer à la résistance supérieure de bande élastique ou à augmenter le poids en rajoutant entre 1 et 2 kilos. Si les haltères dont vous disposez augmentent par poids de 2 kilos et que cette augmentation est trop importante pour vous, conservez le même poids mais effectuez 15 répétitions. Lorsque vous serez en mesure d'effectuer 3 séries de 15 répétitions, vous aurez alors suffisamment de force pour passer au poids supérieur. Si vous parvenez à exécuter seulement 1 ou 2 séries de 8 répétitions en utilisant le nouveau poids, reprenez l'ancien poids pour terminer les dernières séries.

Les exercices de résistance peuvent être effectués à l'aide de bandes, de tubes élastiques, de poids, en utilisant des appareils dans un club de gym ou des poids libres comme des haltères ou des mini-haltères. Les bandes élastiques sont peu coûteuses, faciles à utiliser à la maison, ne prennent pas de place et sont légères. Elles existent dans des couleurs différentes, lesquelles font référence à des épaisseurs ou à des degrés de résistance différents. Leur seul inconvénient est qu'il vous faudra d'abord passer un certain temps pour trouver le meilleur endroit et la meilleure façon de les fixer, en fonction de votre maison et de vos meubles. Les indications fournies pour les différents exercices devraient vous donner quelques idées pour utiliser au mieux les bandes élastiques en fonction des circonstances.

Si vous utilisez des poids, vous pouvez le faire aussi bien avec des appareils qu'avec des poids libres. Les appareils aident à conserver une bonne posture, à réduire les risques de blessure et elles permettent de soulever des poids plus importants. Quant aux poids libres, ils améliorent votre équilibre général, votre coordination et votre équilibre musculaire. Les poids libres sont relativement peu coûteux et sont pratiques à utiliser à la maison. Lorsque je m'entraîne, je préfère combiner les poids libres et les bandes parce qu'ils m'aident à atteindre un équilibre musculaire entre le côté gauche et le côté droit de mon corps et que je peux faire les exercices chez moi.

Pour des raisons de sécurité, je vous conseille fortement d'éviter d'utiliser des poids « faits maison » comme des bouteilles remplies d'eau. De tels objets n'ont pas été conçus pour l'entraînement et pourraient être risqués car ils affecteraient votre équilibre. Si vous cherchez un moyen de faire des économies, achetez plutôt une série de bandes élastiques (Thera-Band, Rep-Bands) ou quelques poids que vous serez plus porté à utiliser, ou partagez les poids avec un ami. Votre sécurité est trop importante.

Lorsque vous commencez des exercices de résistance, contentez-vous de soulever des poids très légers. Vous devriez être en mesure d'exécuter 12 répétitions sans difficulté, tout en conservant une bonne posture. Si vous commencez en soulevant un poids qui est trop lourd, vous risquez de ne pas pouvoir terminer l'entraînement ou, pire, vos muscles pourraient devenir extrêmement douloureux au cours des deux jours suivants, ce qui pourrait vous décourager. Prenez votre temps. Votre corps est réceptif et il s'adaptera aux poids. Mais ne le forcez pas. Si l'exercice est trop difficile, diminuez légèrement le poids ou la résistance de façon à pouvoir terminer l'exercice en conservant une bonne posture sans vous blesser ou vous faire mal. Lorsque vous commencez à faire du sport, vous pouvez ressentir des douleurs musculaires, ce qui est tout à fait normal. Vos muscles travaillent plus que d'habitude, mais à mesure que vous progresserez, vous pourrez vous efforcer davantage.

Respirer est ce qu'il y a de plus naturel, mais, lorsque nous travaillons avec des poids ou des bandes élastiques, il arrive que l'on se concentre tellement sur notre posture ou sur la difficulté d'aller jusqu'au bout du mouvement qu'on en oublie de respirer correctement. N'oubliez pas d'inspirer par le nez et d'expirer par la bouche. Passez votre corps en revue pour vérifier les zones de tension : détendez les muscles de votre visage et de votre mâchoire de façon à ne pas serrer les dents, et pensez à maintenir une bonne position tout en ayant les épaules détendues. Efforcez-vous d'utiliser seulement le groupe musculaire que vous voulez renforcer.

> Après avoir commencé en douceur un programme d'exercices de résistance et m'y être astreint pendant les trois dernières semaines, j'en suis au point où, si je n'ai pas ma dose régulière d'exercice, je suis de mauvaise humeur. C'est un peu comme une drogue qui me fait voir la vie sous un autre angle.
>
> – Ivan, patient de 49 ans atteint d'un cancer de la vessie.

REMARQUES SUPPLÉMENTAIRES AVANT D'ENTREPRENDRE LES EXERCICES DE RÉSISTANCE

Avant de commencer à faire ces exercices, prenez le temps de penser à vous tenir droit. Qu'est-ce que cela signifie exactement ? Tenez-vous debout, rentrez votre ventre, détendez vos épaules, et pensez à utiliser les muscles situés au centre de votre corps (muscles tronc et fessiers) pour vous stabiliser et vous aider à conserver une bonne posture. En pensant à vous tenir droit avec les muscles contractés, vous bénéficierez non seulement de chaque exercice individuel, mais vous développerez également vos muscles principaux, ce qui contribuera à votre équilibre et à votre endurance physique.

Lorsque vous faites des exercices avec des bandes élastiques pour la première fois, soyez patient. Vous aurez peut-être besoin d'un peu de temps pour trouver le meilleur moyen ou le meilleur endroit pour les fixer avant chaque exercice. Les bandes seront plus faciles à utiliser si vous disposez des accessoires pour les attacher aux chevilles et pour les fixer aux poignées et aux portes. Toutefois, si vous n'achetez pas ces accessoires, vous pouvez quand même effectuer les exercices en faisant un nœud aux extrémités de chaque bande lorsque vous faites travailler les bras, en attachant ensemble les deux extrémités de la bande lorsque vous faites travailler les chevilles et les jambes, et en faisant un nœud au centre de la bande pour la coincer en haut de la porte. Vous aurez sans aucun doute besoin de bandes de tensions différentes selon que les exercices ciblent les bras ou les jambes, ce qui facilitera les préparatifs.

Pour les exercices pouvant être effectués facilement avec des poids libres, j'ai fourni une explication de la façon de s'y prendre au bas des instructions pour les bandes élastiques.

PROGRAMME «A» D'EXERCICES DE RÉSISTANCE

Flexion des jambes

Tenez-vous debout avec les pieds sur le milieu de la bande. Vos pieds doivent être écartés à une distance équivalant à la largeur de vos hanches. Tirez sur la bande pour remonter chaque extrémité au niveau de vos épaules. Pliez doucement les genoux jusqu'à ce qu'ils fassent un angle de 45 degrés. Vos genoux doivent être en arrière par rapport à vos orteils. Remontez lentement dans la position de départ. Recommencez l'exercice.

Poids libres : Vous pouvez effectuer cet exercice avec des haltères ou des bandes. Si vous utilisez des haltères, prenez-en une dans chaque main en gardant les bras le long de votre corps tout au long de l'exercice. Pliez vos genoux à 45 degrés en gardant vos genoux à l'arrière de vos orteils, et revenez lentement à votre position de départ.

PHOTO 1
Position de départ de la flexion.

PHOTO 2
Gardez l'alignement des genoux
à l'arrière de celui des orteils.

PHOTO 3
Vue de profil de la flexion.

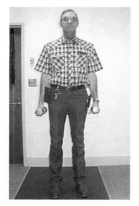

PHOTO 4
Position de départ de la flexion
avec haltères.

PHOTO 5
Position d'arrivée pour la flexion
avec haltères. Maintenez les genoux
à l'arrière des orteils et maintenez les
cuisses parallèles au sol.

Extension dorsale

Fixez le milieu de la bande en haut d'une porte. Faites face à la porte et prenez les extrémités de la bande dans vos mains, vos paumes tournées vers le sol. Tenez-vous à une distance d'environ 60 centimètres de la porte. Tirez les bandes vers vos épaules. Revenez lentement à la position de départ en retenant la bande. Recommencez l'exercice.

L'extension dorsale peut être effectuée à l'aide d'un appareil si vous faites de l'exercice dans une salle de gym.

PHOTO 6
Position de départ.

PHOTO 7
Position d'arrivée.

PHOTO 8
Position de départ pour
l'extension dorsale à l'aide
d'un appareil.

PHOTO 9
Position d'arrivée pour l'extension
dorsale à l'aide d'un appareil.

Extension des jambes

Attachez la bande à un objet solide, comme le pied d'un sofa,
d'un fauteuil ou d'une table, ou coincez-la en bas d'une porte.
Entourez votre jambe avec la bande et avancez de manière à
ce que la bande soit légèrement tendue. Le dos tourné à la
porte, tendez lentement votre jambe devant vous et revenez
doucement à votre position de départ. Utilisez vos muscles
principaux pour rester bien droit. Si vous sentez que vous vous
penchez vers la direction opposée à votre extension, appuyez-
vous pour garder votre équilibre et diminuez la tension
exercée sur la bande. Recommencez l'exercice en faisant travailler la même jambe, puis passez à l'autre jambe.

PHOTO 10
Position de départ.

PHOTO 11
Position finale d'extension de la jambe.

PHOTO 12
Position finale d'extension
de la jambe.

Écarté latéral

Employez la même installation que celle que vous avez utilisée pour effectuer les exercices d'extension dorsale. Pour effectuer cet exercice, vous devez tourner le dos à la porte. Attrapez les bandes. Vos bras doivent être tendus et parallèles au sol, et vos paumes tournées vers l'avant. Tirez doucement sur la bande pour amener vos mains devant vous, en gardant vos bras tendus. Reprenez lentement votre position de départ en exerçant une pression pour retenir la bande élastique. Recommencez l'exercice.

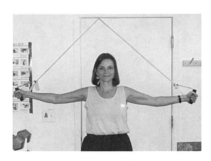

PHOTO 13
Position de départ.

PHOTO 14
Position d'arrivée.

PHOTO 15
Position de départ en utilisant
des haltères.

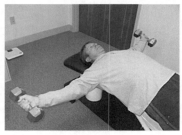

PHOTO 16
Position d'arrivée.

Kick latéral (adduction)

Employez la même installation que celle que vous avez utilisée
pour effectuer les exercices d'extension des jambes. Vous devez
être debout, de profil à la porte. Entourez votre cheville la plus
proche de la porte de la bande. Faites basculer votre poids sur
l'autre jambe, tenez-vous droit, et tendez la jambe à laquelle
la bande est attachée vers l'intérieur, en la faisant passer devant
l'autre jambe. Revenez lentement à votre position de départ.
Recommencez l'exercice. Tournez-vous et recommencez
l'exercice en faisant travailler l'autre jambe.

PHOTO 17
Adduction : tirez sur la bande en faisant passer votre jambe de l'autre côté de votre corps.

Flexion des biceps

Debout, mettez un pied sur une extrémité de la bande et tenez l'autre extrémité dans la main. Vos paumes doivent être tournées vers le haut. Vos poignets doivent rester tendus lorsque vous tirez sur la bande pour la remonter vers les épaules en pliant le bras. Revenez doucement à la position de départ et recommencez l'exercice. N'oubliez pas de changer de bras.

Poids libres : Prenez une haltère dans chaque main et suivez les instructions ci-dessus.

PHOTO 18
Position de départ pour
la flexion des biceps.

PHOTO 19
Position d'arrivée pour
la flexion des biceps.

PHOTO 20
Position de départ pour la
flexion des biceps avec haltères.

PHOTO 21
Position d'arrivée pour la
flexion des biceps avec haltères.

Kick latéral (abduction)

Employez la même installation que celle que vous avez utilisée pour effectuer les exercices d'extension des jambes. Vous devez être debout, sur le côté de la porte. Entourez votre cheville la plus éloignée de la porte de la bande. Faites basculer votre poids sur l'autre jambe, tenez-vous droit, et tendez la jambe à laquelle la bande est attachée vers l'extérieur, en la relevant à environ 7 centimètres du sol. Gardez votre jambe tendue. Revenez lentement à votre position de départ. Recommencez l'exercice. Tournez-vous et recommencez l'exercice en faisant travailler l'autre jambe.

Tenez-vous à une chaise, à un fauteuil ou à une table pour vous stabiliser, de façon à vous concentrer sur la qualité de votre mouvement.

PHOTO 22
Position de départ pour l'abduction.

PHOTO 23
Abduction : tirez sur la bande en éloignant la jambe de votre corps.

PHOTO 24
Vue de face de l'abduction.

Allongé

Coincez la bande en haut de la porte. Tournez le dos à la porte et prenez les extrémités de la bande dans vos mains. Celles-ci doivent être au niveau de votre poitrine et vos paumes doivent être tournées vers le sol. Avancez une jambe et pliez le genou de cette jambe jusqu'à ce que votre cuisse soit parallèle au sol. Vos genoux doivent être en arrière de vos orteils. Revenez dans votre position de départ et recommencez l'exercice en avançant l'autre jambe.

Poids libres : Prenez un poids dans chaque main, les bras le long de votre corps. Détendez vos épaules et avancez une jambe, puis suivez les instructions ci-dessus.

PHOTO 25
Position de départ de l'allongé.

PHOTO 26
L'allongé vu de face.

PHOTO 27
L'allongé vu de profil. Notez que
la cuisse est parallèle au sol.

PHOTO 28
Position de départ de l'allongé.
Avancez une jambe.

PHOTO 29
Position d'arrivée de l'allongé.
Les genoux doivent être à
l'arrière des orteils.

Développé pectoral

Employez la même installation que celle que vous avez utilisée pour effectuer les exercices d'allongés. Tournez le dos à la porte. Tenez la bande au niveau de vos aisselles, vos paumes tournées vers le sol. Étirez la bande devant vous et tendez vos bras au maximum. Retournez doucement à votre position de départ et recommencez l'exercice.

Poids libres : Couchez-vous sur le dos sur un banc. Commencez en prenant un poids dans chaque main, les mains au niveau de vos aisselles et les paumes tournées vers le plafond. Poussez les poids vers le haut en tendant vos bras au maximum. Retournez doucement à votre position de départ et recommencez l'exercice.

PHOTO 30
Position de départ.

PHOTO 31
Bras tendus devant vous.

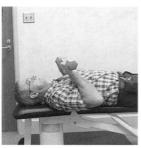

PHOTO 32
Commencez l'exercice avec les bras pliés en tenant les haltères, les mains au niveau de vos épaules.

PHOTO 33
Position d'arrivée. Poussez les haltères vers le haut en tendant les bras.

Flexion des muscles ischio-jambiers

Employez la même installation que celle que vous avez utilisée pour effectuer les exercices d'extension des jambes. Entourez votre cheville de la bande et remontez votre talon vers vos fesses. Pensez à rester bien droit. Tenez-vous à quelque chose si vous avez tendance à vous pencher vers l'avant. Revenez lentement à votre position de départ. Recommencez l'exercice, puis changez de jambe.

La flexion des muscles ischio-jambiers peut être effectuée avec un appareil si vous faites de l'exercice dans un club de gym.

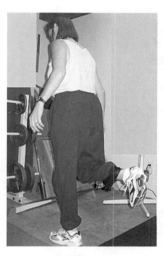

PHOTO 34
Flexion des ischio-jambiers. Fléchissez votre jambe vers le haut pour former un angle d'au moins 45 degrés.

PHOTO 35
Fléchissez votre jambe vers les muscles fessiers pour former un angle d'au moins 45 degrés.

Rameur en position inclinée

Mettez un pied sur la bande et penchez-vous vers l'avant jusqu'à former avec vos jambes un angle de 45 degrés. Tenez l'extrémité de la bande dans la main avec la paume tournée vers votre corps. Tirez doucement sur l'élastique en le remontant vers votre aisselle, puis reprenez votre position de départ. Tenez-vous à une chaise ou à un autre objet pour garder l'équilibre. Pensez à contracter vos muscles et à garder le dos droit et la colonne vertébrale bien étirée. Changez de bras.

Poids libres : Prenez un poids dans une main et suivez les instructions ci-dessus.

PHOTO 36
Position de départ.
Gardez le dos droit.

PHOTO 37
Position d'arrivée du rameur
en position inclinée.

PHOTO 38
Position de départ pour le
rameur en position inclinée
avec haltères. Veillez à ce que
votre dos soit bien droit
avant de commencer.

PHOTO 39
Position d'arrivée pour
le rameur en position
inclinée avec haltères.

Extension des hanches

Employez la même installation que celle que vous avez utilisée pour effectuer les exercices d'extension des jambes. Tenez-vous face à la porte ou à l'objet auquel la bande est attachée. Entourez votre cheville avec la bande. Faites basculer votre poids sur l'autre jambe, tenez-vous bien droit et tendez votre jambe vers l'arrière à environ 7 centimètres du sol. Vos jambes doivent rester tendues. Revenez doucement à votre position de départ. Recommencez l'exercice. Changez de jambe.

PHOTO 40
Étirez la bande en tendant votre jambe vers l'arrière. Veillez à ce que vos hanches ne s'ouvrent pas vers l'arrière lorsque vous étirez la bande.

Développé à triceps

Mettez un pied sur une extrémité de la bande et prenez l'autre extrémité dans la main. Pliez votre bras par-dessus votre épaule comme si vous essayiez de vous gratter la tête. Votre paume doit être tournée vers l'arrière de votre oreille. Tendez vos bras en gardant les poignets tendus. Reprenez lentement la position de départ et recommencez l'exercice. Pensez à faire travailler l'autre bras.

Poids libres : Prenez un poids dans une main et suivez les instructions ci-dessus.

PHOTO 41
Position de départ pour
le développé à triceps.

PHOTO 42
Position d'arrivée, bras
complètement tendus.

PHOTO 43
Remontez le poids jusqu'à
votre épaule, le bras plié.

PHOTO 44
Tendez votre bras vers l'arrière.

COMBINER LES PROGRAMMES
D'EXERCICES D'AÉROBIE ET DE RÉSISTANCE

Il existe plusieurs moyens de combiner les programmes d'exercices d'aérobie et de résistance. Vous pouvez faire de l'exercice 3 fois par semaine en combinant les entraînements d'aérobie et de résistance ou jusqu'à 5 ou 6 fois par semaine en faisant des exercices d'aérobie une journée et des exercices de résistance la journée d'après. Si vous décidez de faire de l'exercice trois fois par semaine, commencez par les exercices d'aérobie pour qu'ils vous procurent un bon réchauffement avant d'entamer vos exercices de résistance. L'avantage de commencer par les exercices d'aérobie est que vos muscles ne sont pas fatigués par les exercices de résistance. Si vous préférez alterner les exercices d'aérobie et de résistance sur 5 à 6 jours, cela ne pose aucun problème, mais rappelez-vous de ne pas faire des exercices de résistance deux jours d'affilée. Laissez vos muscles récupérer en faisant des exercices d'aérobie ou en vous reposant.

TENIR UN CARNET D'EXERCICES

Vous n'êtes pas obligé de tenir un carnet, mais il ne fait aucun doute que cela aide. Un carnet d'exercices vous permet d'observer votre progression, de déterminer à quel moment passer à l'étape suivante et même de prendre conscience de ce qui vous a aidé à vous mettre en forme pour une randonnée ou un autre événement. Tenir un carnet à jour ne requiert pas beaucoup de temps et cela vous aidera à analyser vos erreurs passées – par exemple, s'il vous est arrivé de trop augmenter l'intensité de vos exercices – ainsi que vos réussites.

Après avoir battu mon premier record de distance parcourue à vélo sur 24 heures, j'ai consulté mes carnets pour voir ce qui m'avait permis d'en arriver là. Les renseignements que contenait mon carnet étaient un peu comme une « recette du succès ». Pour pouvoir battre d'autres records similaires, je devais appliquer cette même recette de base, tout en augmentant l'intensité de mon entraînement et, comme j'avais un an de plus en termes de forme physique et d'intelligence, je pouvais anticiper le surentraînement et ralentir avant d'en arriver à cette extrémité. Consultez les exemples de carnets d'exercices présentés dans le chapitre 4. Vous pourriez vous en inspirer pour créer votre propre carnet ou vous pourriez également utiliser un calendrier.

RÉSUMÉ

En suivant un des programmes d'exercices En forme pour combattre le cancer, vous constaterez une amélioration régulière de votre état physique et émotionnel, et votre santé en bénéficiera à long terme. Les plans d'exercices ont été testés sur des centaines de patients qui ont tous obtenu des résultats positifs. Afin de connaître une amélioration régulière, il est nécessaire que vous trouviez l'équilibre entre les périodes d'entraînement à différentes intensités et le repos. Lorsque vous tenez un carnet de vos exercices, il est facile de constater l'évolution rapide de vos progrès d'une activité à une autre. En ayant conscience des besoins de votre corps en matière de repos, en ayant une alimentation saine et faible en matières grasses, et en appliquant les techniques motivantes présentées ici, vous contribuez à bien intégrer l'exercice à votre vie quotidienne. Si vous combinez ces habitudes saines aux suggestions fournies dans ce livre et appliquez le tout à des buts réalisables, à un engagement personnel et à un travail acharné, vous pourrez non seulement atteindre vos objectifs, mais également dépasser les limites que vous vous étiez imposées.

CHAPITRE 10

L'INCONCEVABLE : RÉCIDIVE DU CANCER ET EXERCICE

Au cours de mes nombreuses années de travail en onco-logie, je n'ai rencontré aucun patient ou survivant du cancer qui n'ait vécu de souffrance émotionnelle ou de peur de récidive pendant les mois et même les années qui ont suivi la fin de son traitement. Chaque douleur devient une source d'inquiétude. La peur courante, menaçante et écrasante qu'est la crainte de récidive du cancer ou d'une maladie métastatique est une peur que nous avons la force de supporter, mais aussi de dépasser. Pour de nombreux patients, la récidive est non seulement un choc, mais elle est en outre beaucoup plus effrayante que le diagnostic initial. Il est extrêmement difficile de rassembler la force émotionnelle et spirituelle nécessaire pour faire face à une récidive et à une telle incertitude.

La progression des cancers évolués varie considérablement en fonction de la maladie et de la réaction de chaque personne au traitement, et elle est imprévisible. La bonne nouvelle est que de nombreux survivants au cancer ayant expérimenté des récidives multiples ont malgré tout bénéficié d'une rémission complète, et que d'autres personnes, atteintes de maladies métastatiques, profitent de belles années bien remplies tout en maintenant leur maladie sous contrôle. Bien que le cancer puisse laisser des cicatrices sur le corps, l'exercice peut quant à lui contribuer à éviter la détérioration physique qui altère la vitalité de nombreux survivants au cancer qui ont devant eux une vie enrichissante et dynamique. L'exercice peut aider à reconstruire la confiance en soi et en son corps, et à prendre conscience du rôle important que nous jouons dans notre guérison physique et émotionnelle. Même si l'exercice n'élimine pas la peur de récidive et les souvenirs désagréables, il aide à diminuer l'anxiété, à retrouver confiance en la capacité de votre corps à fonctionner «normalement» et il procure une sensation de contrôle. L'exercice occupe une place vitale dans la guérison de l'âme et dans le rétablissement du corps durant cette période de fragilité.

LE POINT DE VUE DE LA RECHERCHE ET LE POINT DE VUE CLINIQUE

J'ai entamé ces recherches et ce travail de longue haleine en raison des observations que j'ai faites lorsque je travaillais dans une unité de transplantation de moelle osseuse vers le milieu des années 1980. La plupart de mes patients souffraient de maladies récurrentes ou métastatiques, et je remarquais avec le temps que certaines personnes semblaient moins souffrir que les autres. Pourquoi ces patients étaient-ils différents? Ils étaient simplement plus actifs. Cette activité accrue améliorait leur humeur, et ils semblaient prendre davantage possession de leur environnement. Certains patients insistaient même pour faire leur lit le matin. Une activité physique, même pratiquée à très faible dose, semblait réduire la fatigue, les fluctuations de poids, la dépression, l'anxiété et la souffrance de ces patients qui recevaient pourtant un traitement très éprouvant.

De plus en plus de chercheurs étudient les effets de l'exercice pendant et après le traitement du cancer, mais nous disposons de peu d'informations quant aux effets de l'exercice sur les patients souffrant de maladies récurrentes ou métastatiques. Bien que des centaines de personnes atteintes d'un cancer évolué aient participé à des programmes d'exercices de groupe ou aient élaboré leur propre programme, une seule recherche a pris en compte les répercussions de l'exercice sur le cancer métastatique. Cette recherche a renforcé les conclusions d'études menées auprès de patients atteints d'un cancer à des stades plus précoces ; en effet, les patients ayant fait de l'exercice reprenaient des forces, ils étaient en meilleure forme et plus alertes, tout en bénéficiant d'une baisse de leur anxiété et d'une meilleure santé émotionnelle. Mes recherches portaient principalement sur les patients en stade précoce de cancer, mais j'ai suivi ces patients pendant une longue période, et malheureusement certains d'entre eux ont fini par développer des maladies à un stade plus avancé ou des maladies récurrentes. Au cours de mes recherches et de mon expérience clinique, j'ai pu observer que l'exercice était bénéfique et ne présentait aucun danger pour les patients atteints de maladies à un stade avancé. Il contribue non seulement à réduire l'état d'anxiété et de dépression, mais il maintient également la force musculaire qui permet d'être suffisamment en forme pour pouvoir participer aux activités importantes qu'on ne voudrait pas rater. Le fait de conserver leurs forces peut être un des aspects les plus importants de l'exercice pour les personnes atteintes d'un cancer évolué voulant continuer à mener une vie remplie.

OBJECTIFS

Il est maintenant temps de réévaluer votre vie et de prendre des décisions honnêtes sur la façon dont vous voulez utiliser votre temps. Certaines personnes ont envie de faire un grand voyage et de parcourir le monde, d'autres veulent relever un défi physique et faire l'ascension d'une montagne, et d'autres encore préfèrent rester à la maison et profiter de leur famille ou s'oublier totalement dans le travail. Il n'y a pas de bon ou de mauvais choix ; votre choix dépend de votre conception d'une vie pleinement remplie.

Bien qu'il y ait quelques précautions à prendre lorsque vous faites de l'exercice, les directives et méthodes de base pour se mettre en forme ou pour conserver sa condition physique sont les mêmes que celles qui ont été présentées dans les chapitres précédents. Vous devez progresser doucement et avec une certaine régularité. Si vous êtes habitué à faire de l'exercice et que vous vous retrouvez confronté à la maladie, divisez en deux l'intensité et la durée de votre entraînement et voyez comment vous vous en sortez. En raison de la récidive, vous recevrez probablement un traitement différent de celui que vous avez reçu la première fois. Même si vous savez en quoi consiste la chimiothérapie, vous devrez surveiller la façon dont vous supportez le premier cycle du traitement. Il vous faudra peut-être apprendre à contrôler les effets secondaires, lesquels peuvent être propres au type de chimiothérapie que vous recevez. Une fois que vous saurez comment votre corps réagit au traitement, vous pourrez commencer à augmenter progressivement la durée et l'intensité de vos exercices. De nombreuses personnes trouvent qu'à chaque récidive elles parviennent mieux à contrôler leurs effets secondaires, mais il peut arriver que votre corps réagisse de façon imprévisible à chaque type de traitement, raison pour laquelle je vous incite à commencer votre programme d'exercices en douceur.

LA FORCE DE CONTINUER

Martha était une femme d'une quarantaine d'années atteinte d'un cancer du sein avec laquelle je suis devenue amie. Au cours des années, elle a dû faire face à de nombreuses récidives et a fini par développer des métastases aux poumons, au foie et au cerveau. Elle avait plusieurs rêves, des projets de voyages, ainsi que de nombreuses activités qu'elle voulait conserver. Une de ses activités préférées consistait à marcher avec son chien dans le parc. Pendant plusieurs mois, nous avons pris l'habitude de promener nos chiens dans le parc. Lorsque la maladie de Martha a évolué, les jours où elle se sentait plus fatiguée, elle poussait un déambulateur muni d'un siège pour lui permettre de se reposer. Nous avons continué nos longues promenades et Martha conservait ses forces, mais lorsqu'elle commença à avoir des problèmes d'équilibre et d'intolérance à la chaleur, elle décida qu'un fauteuil roulant lui procurerait plus de liberté. À sa grande surprise, le fauteuil roulant nous permit d'aller plus loin et nous donna une plus grande liberté puisque Martha savait que je pourrais la pousser jusque chez elle au retour. Sa force et son indépendance lui permettaient d'être autonome et de continuer à effectuer les activités qu'elle aimait, ce qui n'aurait pas été le cas si elle était restée cloîtrée chez elle, confinée à son sofa. Elle me dit à ce propos : « L'exercice m'a aidée à garder le contrôle de ma vie et à continuer. Je ne peux pas m'en passer. J'aimerais que l'exercice fasse partie du plan de traitement de toute personne, c'est le meilleur remède qui soit. »

RÉFLÉXIONS SPÉCIFIQUES À L'EXERCICE

Toute personne atteinte d'une maladie récurrente ou métastatique devrait prendre certaines précautions, lesquelles sont différentes selon que vos métastases touchent vos os, vos poumons, votre système nerveux central ou votre cerveau. Si vous avez des lésions osseuses dues à un cancer dont les métastases se sont attaquées à vos os, vous devez rencontrer votre médecin pour qu'il vous renseigne sur les activités qui ne représentent pas de danger pour vous. Si l'activité vous expose à un risque de fracture parce qu'elle comporte des sauts ou de la course, il serait préférable de le savoir à l'avance pour vous concentrer sur les sports qui n'impliquent pas de port de poids, comme la natation, l'utilisation d'un vélo stationnaire ou l'aviron.

Lorsqu'il s'agit des poumons, que ce soit dans le cas d'un cancer ou de métastases liées au cancer, vous êtes exposé à des problèmes de respiration, ce qui peut rendre l'exercice plus difficile. Planifiez vos exercices de façon à avoir le temps de vous reposer pour reprendre votre souffle, et éventuellement à pouvoir vous asseoir si vous en ressentez le besoin. Dans le cas de métastases aux poumons, il est important de commencer votre programme d'exercices en douceur et de progresser graduellement. Si vous voulez en faire trop dès le départ, vous serez vite découragé, fatigué et même dégoûté. Allez-y doucement, trouvez votre rythme de façon à ne pas être à bout de souffle et soyez patient quant à vos progrès.

Si vous êtes atteint de métastases au système nerveux central ou de lésions au cerveau, vous pourriez souffrir d'étourdissements, de troubles de la vue et d'intolérance à la chaleur. Il est possible que les étourdissements et les modifications de votre vue fassent partie des symptômes qui ont permis de découvrir votre cancer ou la récidive. N'ayez pas peur, il n'y a pas de raison de ne pas être actif physiquement. Vous avez tout simplement besoin d'être guidé pour savoir ce qui ne représente aucun danger avant de commencer à faire de l'exercice.

Rien n'est pire que de se blesser gravement parce qu'on a voulu faire trop d'efforts pour se maintenir en forme. Si votre médecin ne sait pas quel type d'exercice vous recommander, demandez à consulter un physiothérapeute, un kinésithérapeute ou un spécialiste en rééducation. La dernière chose que vous devez faire est de rentrer à la maison, vous coller à la télé et perdre le contrôle de la situation simplement parce que vous ne savez pas comment faire de l'exercice sans que cela représente un danger. Il existe de nombreuses façons créatives de rester en forme et actif et de mener une vie remplie malgré l'incertitude.

C'est un bon moment pour revoir les suggestions de contrôle des symptômes présentées dans le chapitre 3. Pour avoir une vie la plus remplie possible, vous devez limiter au maximum vos effets secondaires, ce qui signifie que vous devez apprendre à interpréter vos symptômes, à les contrôler avant qu'ils ne deviennent insupportables et à maintenir un dialogue constant avec votre équipe soignante afin de coordonner une intervention anticipée si votre plan actuel de gestion des effets secondaires ne fonctionne pas correctement.

Daniel Shapiro est un ami, et il fut également un patient atteint d'un lymphome non hodgkinien lorsqu'il était adolescent. Il a subi plusieurs rechutes et a reçu de nombreux traitements de chimiothérapie, de radiothérapie, de transplantation de moelle osseuse, puis de chimiothérapie plus forte. Sa description de l'exercice nous aide à comprendre à quel point nous jouons un rôle important dans la guérison de notre corps et de notre esprit.

> L'exercice est la première chose que j'ai pu faire pour moi-même après ma transplantation de moelle osseuse. Grâce à des activités aquatiques quotidiennes comme la natation, j'ai pu constater une amélioration de ma capacité fonctionnelle. Je sentais que je reprenais des forces et que je retrouvais ma forme. Je crois que mon humeur s'est également améliorée ; j'étais une personne plus agréable lorsque je faisais de l'exercice. Ces habitudes sont restées ancrées en moi. Maintenant, je joue au frisbee en équipe trois fois par semaine et mon dernier traitement remonte à dix ans.

CHAPITRE 11

RÉALISEZ VOTRE POTENTIEL

Je ne pense pas qu'il soit possible de sortir d'un traitement contre le cancer sans qu'il y ait des séquelles. Le cancer est une épreuve qui déclenche souvent une prise de conscience et une modification de notre style de vie pour le rendre plus sain. Si vous êtes un patient actuellement atteint d'un cancer ou un survivant de cette maladie, l'exercice physique vous permettra d'améliorer votre confiance, de porter un regard positif sur vous-même et de ressentir un bien-être qui vous poussera à reprendre votre corps et votre vie en main. La force intérieure que l'on découvre souvent lorsqu'on traverse un cancer et lorsqu'on fait de l'exercice peut nous aider à dépasser nos limites, et j'ai pu observer certains patients qui ont eu recours à cette force dans d'autres sphères de leur vie, d'une façon qu'ils n'auraient jamais imaginée possible.

Les outils dont vous vous servez pour vous mettre en forme et pour intégrer l'exercice à votre vie peuvent être très utiles pour accomplir vos autres objectifs. Dans le cadre de mes études, j'ai vu des patients développer une confiance en eux et en leur capacité à surmonter leur traitement dès qu'ils commençaient à pratiquer un exercice. Mes études étaient souvent l'occasion pour eux de faire du sport pour la première fois de leur vie. Ces patients se fixent souvent des buts bien précis dont ils bénéficient aussi bien sur le plan physique qu'émotionnel. Si vous vous fixez des objectifs, faites preuve de persévérance et de détermination, et si vous visualisez les résultats que vous voulez atteindre, l'exercice peut vous aider à avoir une vie personnelle réussie en utilisant des moyens que vous n'auriez pas imaginés. Il ne tient qu'à vous de réaliser vos possibilités, de dépasser vos attentes et d'atteindre les normes les plus élevées ; nous avons tous le pouvoir de choisir ce qui est important pour nous.

Soyez honnête avec vous-même lorsque vous évaluez ce qui est important pour vous. Élaborez un plan et des étapes que vous jugez nécessaires pour atteindre vos objectifs de vie, lesquels peuvent ne pas être liés à l'exercice. Vous remarquerez toutefois que l'exercice est peut-être le chemin à emprunter pour vous aider à définir ce que vous voulez réellement accomplir. L'exercice permet bien souvent de prendre du recul par rapport aux nombreuses préoccupations qui nous submergent, donne la possibilité de réfléchir en ayant une autre perspective et améliore la confiance en soi, ce qui est un tremplin pour atteindre nos objectifs. Il est même possible qu'il vous aide à découvrir des aspects de vous-même et de votre vie, non seulement sur le plan physique, mais également sur les plans émotionnel et spirituel.

Souvent, lorsque je fais du vélo dans les bois ou que je marche sur de la neige fraîchement tombée en compagnie de mon chien, je constate qu'une discussion très animée se déroule dans mon cerveau. Mon esprit se fait entendre et s'exprime parfois tellement fort que je me demande si les autres peuvent entendre mes pensées, par exemple lorsque j'essaie de régler des problèmes au travail ou lorsque j'envisage une méthode plus créative à mon travail en y ajoutant un défi ou simplement lorsque je rêve éveillée.

Nos rêves peuvent devenir réalité. Lorsque vous rêvez à quelque chose et visualisez la situation pour la rendre plus réelle, imaginez les odeurs qui vous entourent, les sensations que vous ressentez, de quoi vous avez l'air ainsi que toutes les étapes qui vous ont mené jusque là, et bientôt vous verrez que vos rêves se réaliseront. Lorsque vous y croyez, vos rêves deviennent réalité, mais cela ne se fait pas sans une bonne dose de travail.

Lorsque j'étais enfant, je rêvais de partir à l'aventure, d'être une grande sportive et de parcourir les États-Unis à vélo. Nous étions en 1976, l'année de la célébration du bicentenaire [de la Déclaration d'indépendance des États-Unis], et ma famille traversait le pays en voiture en suivant l'itinéraire du bicentenaire. Nous passions un moment formidable en explorant les Rocheuses et nous dépassions régulièrement deux jeunes hommes à vélo qui semblaient traverser le pays de cette manière. Non seulement ils étaient beaux, mais en plus ils semblaient prendre un immense plaisir à traverser ces montagnes belles à couper le souffle et les vallées qui s'ouvraient à eux, et à sentir l'odeur des pins et de la sauge. Leur voyage éveillait mon imagination et je rêvais de me lancer dans la même aventure qu'eux. Je ne me doutais pas que 20 ans plus tard, je réaliserais mon rêve d'enfance et que je serais capable d'aller de San Diego à Jacksonville Beach, en Floride, en 17 jours. C'était un défi et un voyage formidables. Les rêves éveillés que je faisais lorsque j'étais enfant sont une forme de visualisation. Le temps que j'ai passé à me visualiser en train de me mettre en forme et de parcourir des montagnes à vélo m'a influencée de telle façon que, lorsque le moment a été propice, j'ai été capable d'aller au-delà de mes rêves d'enfance.

J'ai personnellement appris – et j'ai vu nombre de mes patients arriver à la même conclusion – que l'exercice pouvait avoir des répercussions positives sur tous les aspects de ma vie. Grâce à l'exercice, nous apprenons ce que sont *l'intensité, la concentration* et *l'enthousiasme,* qui sont trois concepts essentiels à une réussite, que ce soit pour survivre à un cancer, pour réussir dans son travail ou dans un sport, ou pour fonder une famille. Pour réaliser votre potentiel, vous devrez vous investir, faire preuve d'autodiscipline, de concentration et de force intérieure. Si vous ne prenez pas de plaisir à ce que vous faites, la vie devient contraignante et vous devez alors vous arrêter pour vous demander quelle est votre motivation. Quelle sera votre récompense? La réalisation de votre potentiel dépend en grande partie de trois facteurs:

Intensité. Investissez-vous entièrement dans votre quête de l'excellence. Soyez entièrement présent à votre passion, ce qui vous permettra de rester attentif. Sans cet engagement et une bonne discipline, vous ne pouvez pas dépasser les obstacles et les limites que nous rencontrons tous, tant au sein du sport que du travail et de la famille.

Concentration. Abordez votre activité, votre travail ou votre passion en étant totalement préparé à vous concentrer uniquement sur ce que vous faites et en acceptant d'être complètement absorbé par cette activité. Lorsque vous êtes absorbé par votre travail, par vos exercices, ou par toute autre activité, au point que vos préoccupations disparaissent au second plan, vous êtes complètement présent et conscient de l'instant, et votre concentration est totale. Essayez de laisser vos préoccupations et inquiétudes de côté, même s'il est évident qu'elles ne seront jamais très loin. En disposant d'un plan et d'un objectif précis, vous resterez concentré et motivé.

Enthousiasme. Adonnez-vous à votre passion en ayant une attitude et une perspective positives. Soyez optimiste à propos de ce que vous faites et soutenez les autres dans leur propre quête. Entourez-vous de personnes positives et encourageantes qui croient en vous, en vos capacités et en votre quête de l'excellence. Lorsque vous commencerez à envisager la vie de manière positive, des récompenses inattendues commenceront à s'offrir à vous. Si vous perdez votre sens de l'humour, votre spontanéité et votre passion pour la vie, demandez-vous ce qui a changé. Où est mon plaisir? Est-ce que je fais ce qui est vraiment important à mes yeux ou est-ce que je fais ce que je pense être important aux yeux de ma famille et de la société? Il n'est jamais

L'auteur en route vers un record du monde
à Homestead, en Floride, en mai 1992.

trop tard pour changer de tactique. Contentez-vous d'ouvrir votre cœur et d'écouter ce qu'il a à vous dire. Suivez vos instincts les plus profonds, et non ce que vous imaginez que les autres attendent de vous.

RELAXATION

La relaxation peut procurer le calme dont nous avons besoin pour améliorer l'intensité, la concentration et l'enthousiasme qui permettent d'atteindre nos objectifs. Heureusement, nous sommes tous différents et attirés par des activités, des passe-temps et des vocations différentes. Nous gravitons autour des activités qui correspondent à notre nature, à nos capacités et à notre tempérament. Toutefois, nous partageons tous les sensations déplaisantes que sont l'anxiété, l'inquiétude et la tension. En appliquant des techniques visant à gérer ces sensations stressantes, nous affrontons plus facilement les procédures médicales, un entretien d'embauche ou un premier rendez-vous. La relaxation implique un relâchement total de la tension musculaire, la prise de conscience de votre respiration et la libération de votre esprit.

La relaxation s'apprend et elle nécessite de la pratique, mais elle peut vous procurer une meilleure réceptivité et une plus grande conscience de votre corps. Un moyen facile de pratiquer la relaxation, et qui peut s'avérer utile dans n'importe quelle situation, est de prendre conscience de votre respiration en inspirant par le nez et en expirant par la bouche, lentement et profondément. Sentez la tension se relâcher un peu plus à chaque respiration. Vous pouvez utiliser cette technique n'importe où et elle peut vous aider à vous recentrer sur vous-même pendant les périodes stressantes. Il existe de nombreux livres portant sur les techniques de relaxation qui vont de la relaxation progressive à la méditation en passant par l'autorelaxation concentrative. Je ne passerai pas en revue les différentes techniques, mais j'insisterai sur le fait qu'en intégrant la relaxation à votre vie de tous les jours, vous vous sentirez plus centré et plus calme, ce qui facilitera et stimulera votre capacité à atteindre l'intensité, la concentration et l'énergie nécessaires pour réaliser vos objectifs.

VISUALISATION

Une grande partie de notre réussite provient de notre imagination et de notre confiance en nos capacités. Lorsque j'ai décidé de battre mon premier record de distance parcourue à vélo en 24 heures, je ressentais une certaine appréhension, mais mon amie et coach Betsy King m'a poussée à croire en moi. Elle m'a convaincue que je pouvais atteindre mon but, et elle avait raison. Lorsque j'ai entamé mon programme doctoral, je n'avais pas confiance en moi, mais mon mentor m'a soutenue et elle ne cessait de me répéter que je pouvais y arriver. Elle aussi avait raison. Même si nous n'avons pas une confiance totale en notre capacité à atteindre nos objectifs, le fait d'être entouré de personnes fiables, qui réussissent et qui vous soutiennent vous aidera à être à votre meilleur niveau. Grâce aux personnes positives dont nous nous entourons, nous franchissons plus facilement les étapes qui sont essentielles à la réalisation de nos objectifs.

Il est indispensable de se visualiser en train d'atteindre son but, qu'il s'agisse de marcher jusqu'à la prochaine rue, de courir sur une distance d'un kilomètre ou de faire une grande présentation. Les sportifs, acteurs et bien d'autres personnes font appel à la visualisation pour améliorer leur performance. Lorsque je forme des cyclistes, je les encourage à s'imaginer en train de faire un sprint ou de monter une côte en ayant une bonne posture, en contrôlant leur respiration et en se sentant détendus. J'ai utilisé la méthode de la visualisation pour gagner des courses, pour me mettre en forme afin de faire une présentation importante et pour me préparer à supporter la douleur. Nombre de mes amis trouvaient que le fait de visualiser la douleur était étrange, mais lorsque vous voulez battre un record du monde de distance parcourue en 24 heures, vous savez que vous allez beaucoup souffrir. Je me suis imaginée en train de continuer à rouler malgré la douleur, tout en maintenant une position aérodynamique et en conservant une bonne vitesse. Le jour de la course, alors que je commençais à sentir les effets de la chaleur et de l'humidité intenses des étés de la Floride et la fatigue d'avoir forcé plus longtemps que je ne le faisais lors de mes entraînements, je constatais que la douleur que je ressentais n'était rien par rapport à celle que j'avais visualisée et à laquelle je m'étais préparée. Les quelques mois passés à faire de la visualisation m'avaient préparée à dépasser les limites que j'avais imaginées, et, à l'occasion de mon dernier record, j'ai parcouru 700 kilomètres en 24 heures, battant ainsi le record de distance en tandem que j'avais établi neuf mois plus tôt.

Bien que certaines personnes n'aient pas envie de penser à l'avance à la douleur ou à l'inconfort, la plupart du temps la visualisation peut aider à supporter les procédures médicales comme les intraveineuses, les biopsies de moelle osseuse, ou encore les douleurs chirurgicales et les effets secondaires du traitement. Les patients qui utilisent la technique de la visualisation ont souvent besoin de moins d'analgésiques et supportent mieux leur traitement. Ils semblent être mieux préparés à faire face aux difficultés du traitement. Nombre de mes patients qui viennent à peine de commencer le programme d'exercices En forme pour combattre le cancer se sont fixé un objectif personnel et se visualisent en train de franchir les petites étapes qui leur permettront d'atteindre cet objectif. Certains d'entre eux se sont fixé comme objectif de faire l'ascension d'une montagne, ils se sont visualisés en train de le faire, et ils ont réalisé leur rêve dans l'année qui a suivi ! D'autres rêvaient de participer à un triathlon, de faire une randonnée de trois jours ou simplement de faire de l'exercice trois fois par semaine pendant six mois.

Le dénominateur commun de la réussite de mes patients est l'intégration de la visualisation à leur vie et à leur programme d'exercice, sans oublier l'intensité, la concentration et l'enthousiasme qui ont fait partie intégrante de leur réussite. Vos objectifs n'ont pas à être compétitifs ni très sportifs. Adopter simplement un mode de vie plus actif pourrait être un meilleur objectif à atteindre à long terme. En vous fixant de petites étapes à franchir et en vous récompensant pour votre réussite, vous pourrez changer votre mode de vie.

La visualisation ne se limite pas à la réussite d'une activité physique : elle peut également avoir des répercussions positives sur d'autres aspects de votre vie. Des recherches ont démontré les avantages que l'on pouvait tirer de l'anticipation des procédures médicales. À mon avis, si vous décidez de franchir cette étape en vous imaginant comment vous allez supporter cette période et de quoi vous aurez l'air, ce que vous vivrez en réalité sera beaucoup moins stressant et déplaisant.

À plusieurs égards, la réussite sportive est une métaphore de la réussite en général. Que nous cherchions à aller au bout de notre plan d'exercices ou à atteindre n'importe quel autre objectif, la clé réside dans l'établissement minutieux de nos objectifs, la planification des étapes à franchir et la détermination à suivre notre plan. Cette même formule vous permettra de réaliser ce qui est important pour vous.

LES PETITES VOIX : MONOLOGUE INTÉRIEUR

Le psychologique ne peut pas être séparé du physique lorsqu'il est question d'atteindre votre meilleure performance. Votre travail personnel et votre entraînement doivent être complémentaires. Il vous faudra du temps et de la discipline pour développer et optimiser les compétences nécessaires qui vous permettront d'être à votre meilleur niveau, et votre état d'esprit joue un rôle important dans votre réussite. Si vous croyez en vous et en vos capacités et si vous pouvez vous imaginer atteindre vos objectifs, vous y arriverez. Notre monologue intérieur pourrait bien devenir une sorte de prophétie créatrice. Ne vous est-il jamais arrivé d'entendre une petite voix intérieure vous dire « Fais attention à ne pas tomber » et de tomber quelques secondes après ? C'est votre esprit qui a entraîné votre chute. Je me rappelle certains étudiants qui avaient peur, le jour de la remise des diplômes, de tomber dans l'escalier devant tout le monde en allant récupérer leur diplôme. Ils s'imaginaient en train de tomber et il y avait donc de fortes chances pour que cela se produise. Faites taire les voix négatives et écoutez et visualisez le positif.

Chacun d'entre nous mène un dialogue perpétuel avec les pensées qui traversent son esprit. En prenant conscience de vos monologues intérieurs, vous réalisez que lorsque vous parlez avec un ami, votre esprit se déplace vers un autre sujet, ce que nos maîtres d'école auraient appelé un manque d'attention. J'ai récemment donné une conférence importante devant de grands scientifiques qui m'intimidaient quelque peu. Je ne me trouvais pas particulièrement amusante, mais mon public semblait penser le contraire. Alors que je perdais de plus en plus ma concentration en prenant conscience des sourires et des rires venant des gens de la salle, les petites voix dans ma tête commencèrent à se faire entendre et à se demander ce que j'avais pu faire de si amusant. Mon message n'était-il pas le bon ? Est-ce que j'avais du papier hygiénique collé à mes chaussures ? Est-ce que je m'étais assise sur quelque chose ? Habituellement je me joins à mon public pour rire, mais cette fois-là, les petites voix me déconcentraient tellement que j'ai dû essayer de les faire disparaître en concentrant mon attention sur les diapositives et sur ma présentation. À cette occasion, mes petites voix intérieures ont été particulièrement loquaces, mais les nombreuses années que j'avais passées à m'entraîner à les faire taire m'ont aidée à retrouver ma concentration et à les faire passer tout d'abord au second plan, puis disparaître complètement. Ceci étant dit, les sourires n'avaient pas disparu des visages de mon public et je ne sais toujours pas ce qui était si amusant.

L'interaction de notre corps et de notre esprit peut avoir aussi bien des effets positifs que négatifs. Le regard que nous portons sur nous-même influence la façon dont nous nous comportons avec les gens. Lorsque nous nous sentons menacés, notre esprit nous parle. Notre petite voix nous dit : « Tu ne peux pas faire ça », « Tu n'es pas assez bon pour ça » ou encore « Tu es trop gros, trop maigre ou pas assez intelligent. » Notre corps réagit à ces monologues intérieurs et nous ne pouvons pas être à notre meilleur niveau à moins de nous être entraîné à faire taire les voix négatives et à écouter les voix positives. Apprendre à arrêter les voix négatives et à les transformer en pensées positives exige de l'entraînement et est indispensable à notre réussite, que la situation soit stressante ou non.

Lorsque vos petites voix vous parlent, soyez attentif à ce qu'elles vous disent. Écoutez les mots utilisés et le ton employé et apprenez à arrêter les pensées négatives et l'autodérision. Lorsque vous avez une bonne opinion de vous, de ce que vous portez et de ce que vous faites, vous vous tenez droit et vous sentez confiant. Dans ces moments, vos petites voix vous font également des commentaires positifs. Bien souvent, les messages positifs ne se font pas entendre autant que les messages négatifs et nous ne réalisons pas quelle influence nos monologues intérieurs positifs peuvent avoir sur notre vie et nos actions quotidiennes. Une des clés du succès est la capacité à écouter ces « bavardages » et à apprendre à arrêter les voix négatives en les transformant en messages positifs.

MA LEÇON DE GÉOGRAPHIE

Ma pratique du cyclisme a commencé avec un rêve, un rêve d'enfant qui représentait à mes yeux liberté, force et indépendance. Le cyclisme est un sport qui nécessite un esprit et un corps solides, sans oublier un bon vélo ! L'idée de rouler d'un endroit à l'autre, d'aller vite et de faire face aux éléments naturels m'apparaissait libératrice. Lorsque j'ai commencé à faire du vélo, je restais dans mon quartier et je m'imaginais ce que cela pourrait être de traverser les États-Unis à vélo en deux ou trois semaines, et non en quelques mois, et je m'entraînais alors à avoir une position aérodynamique, à maximiser chaque coup de pédale et à être efficace.

Lorsque je me pesais, mon poids atteignait des sommets jamais atteints auparavant, ce qui ne me renvoyait pas l'image d'une femme mince et alerte ! Porter des shorts ajustés en lycra qui mettraient en évidence chacune de mes imperfections était hors de question, même s'il existait des modèles matelassés destinés aux cyclistes, jusqu'à ce que je fasse du vélo plusieurs jours d'affilée et que je décide que des shorts en lycra noirs seraient peut-être acceptables. Le noir cache presque toutes les imperfections, non ?

Je m'inscrivis à la course Pacific Atlantic Cycling Tour qui consistait à traverser le pays d'ouest en est, course dirigée par Susan Notorangelo et Lon Haldeman, tous les deux champions de cyclisme sur longue distance. Ils avaient envoyé aux participants des conseils d'entraînement et des histoires de côtes difficiles, de vents forts et d'aventures fantastiques. J'ai commencé à m'entraîner avec sérieux, si bien que quelque temps après je pouvais parcourir 150 kilomètres le matin et travailler l'après-midi à l'unité de transplantation de moelle osseuse. Atteindre un tel degré d'endurance m'a donné confiance en moi. Mon objectif suivant était de maintenir ce rythme deux ou trois jours d'affilée. J'avais de plus en plus de force et j'apprenais à continuer malgré la fatigue et la douleur. Lorsque ce fut le moment de ralentir avant le grand jour, je décidai de me reposer pendant pratiquement deux semaines, sans travailler et en évitant de trop marcher.

Dans l'avion qui m'emmenait à San Diego, je profitais de cette journée sans nuage de mi-septembre. Mon siège, qui était situé près d'un hublot à l'arrière de l'avion, me permettait de profiter d'une vue imprenable sur le relief du pays, au sujet duquel j'avais décidé avant mon départ, pour une raison qui m'échappe, qu'il était plat. Après être restée assise pendant des heures à regarder les plis et les ondulations sans fin des immenses chaînes de montagnes dentelées, je commençais à me demander sérieusement si je serais capable de traverser le pays en 17 jours et je fus prise d'une envie de pleurer. Je croyais que le nord de la Floride était «montagneux». Cette région me paraissait bien plate comparée à la vue que j'avais de mon avion sur le Texas, le Colorado et la Californie. Mon angoisse n'a fait que croître lorsque j'ai rencontré, à l'aéroport de San Diego, Lon et certains de mes compagnons de route – tous des hommes minces – et une femme qui était plus expérimentée et visiblement plus musclée que moi. Évidemment, ma peur m'a empêchée de trouver le sommeil cette nuit-là et je m'imaginais loin derrière eux ou, pire, perdue dans le désert.

Le premier jour, nous nous sommes limités à une distance d'environ 150 kilomètres en suivant la côte qui montait vers Julian, en Californie. Poussée par la peur de l'échec et de l'humiliation, il me fallut lutter pour atteindre en vacillant le haut de la côte. Le jour suivant a été moins difficile avec une grande descente et un passage rapide par le désert. À mesure que les jours passaient, je me sentais en meilleure forme et plus confiante, mais j'entretenais toujours des doutes secrets sur la possibilité d'être semée et de me perdre. Ce défi m'a appris énormément sur l'importance de la préparation, de la persévérance et de la détermination pour suivre ses rêves, mais surtout pour les atteindre.

ÉQUILIBRE ENTRE LE CORPS ET L'ESPRIT

Lorsqu'il y a équilibre entre le corps et l'esprit, les choses se font sans effort et tout est fluide. Le concept de la fluidité n'est pas nouveau. Mihaly Csikszentmihalyi, professeur de psychologie à l'université de Chicago, a beaucoup écrit sur le sujet. Même si nous luttons pour atteindre cette harmonie, notre corps et notre esprit ne font pas toujours qu'un. Nos inquiétudes, nos angoisses, nos préoccupations ainsi que les tâches quotidiennes et les contrariétés que nous impose la vie nous empêchent souvent de trouver cet équilibre et cette fluidité. Les valeurs d'intensité, de concentration et d'enthousiasme sont essentielles à cette fluidité harmonieuse.

Ma mère monte à cheval et il arrive qu'elle décrive ses sorties de la façon suivante : « Tout s'est passé naturellement ; les mouvements de DC (son cheval quelque peu névrosé) et les miens étaient en harmonie. C'était comme si DC savait ce que je pensais et que je savais ce qu'il pensait. Nous anticipions presque les mouvements de l'autre. » Lorsque tout se passe bien et que ma mère ne fait qu'un avec son cheval, elle rayonne de bonheur et elle semble avoir avec lui un lien très spécial qui leur permet d'évoluer ensemble sans avoir à faire d'efforts. Mais il arrive aussi que l'équilibre entre le corps et l'esprit ne soit pas au rendez-vous et que ses efforts et ceux de DC ne suffisent pas pour atteindre la fluidité.

L'équilibre et la fluidité entre le corps et l'esprit ne concernent pas uniquement les activités physiques. Ce soir, alors que j'écris, les mots me viennent plus facilement. Hier, au contraire, j'ai essayé de forcer les mots à sortir, en étant pleinement consciente de mon désir de finir mon travail. Lorsque nous regardons un film ou lisons un livre et que nous nous laissons complètement happer par l'histoire, nous nous trouvons dans cette zone d'équilibre ou de fluidité. Nous sommes complètement présents, absorbés et ne sommes pas distraits par notre mental ou notre environnement. Dans ces moments, *l'intensité, la concentration* et *l'enthousiasme* travaillent

Christine ne faisant qu'un avec son cheval.

ensemble et nous expérimentons une fluidité nous permettant d'atteindre notre performance maximale.

S'ARRÊTER

Vivre dans la société moderne se fait tellement dans l'urgence et la frénésie que nous nous arrêtons rarement pour savourer les plaisirs simples et la beauté qui nous entoure. Nous avons parfois besoin d'un événement bouleversant comme un cancer ou un autre incident menaçant que nous n'avions pas prévu pour penser à nous arrêter suffisamment longtemps pour réévaluer notre vie, nous écouter et écouter notre entourage. C'est seulement en nous arrêtant que nous parviendrons à trouver la force et le courage de donner à notre vie ce qu'il y a de meilleur.

Le diagnostic du cancer nous révèle souvent combien la vie peut être courte et fragile, à quel point elle peut changer et prendre fin rapidement et soudainement, sans prévenir et sans qu'il y ait de logique. Qu'est-ce qui vous a aidé à traverser les épreuves que vous a imposées la vie par le passé ? Résister et vous battre ? Pour certaines personnes, cela peut être de la colère, un amour intense de la vie ou la volonté d'être là pour leurs enfants et leurs petits-enfants. Nous réagissons tous de façon différente, mais notre réaction émotionnelle peut nous aider à voir au-delà des limites de la maladie et à comprendre les possibilités qui s'offrent à nous. Notre société, qui fonctionne dans l'urgence, pose un regard réprobateur sur l'oisiveté et ne nous encourage pas à prendre le temps de penser à la façon dont notre vie évolue. Toutefois, si nous nous donnons le droit de nous arrêter pour évaluer nos objectifs, nos ambitions, nos désirs et nos passions avec honnêteté, nous pourrons rassembler le courage et la force intérieure nécessaires pour relever de nouveaux défis et nous lancer dans de nouvelles aventures. En nous arrêtant et en écoutant notre cœur, nous trouverons l'énergie, la fluidité et l'équilibre qui nous permettront d'aller au-delà nos rêves.

VOIR, CROIRE, RÉUSSIR

James était un jeune homme sensible et intelligent de 20 ans qui avait reçu une transplantation de moelle osseuse en raison d'un lymphome non hodgkinien. Au moment où son lymphome a été diagnostiqué, James avait cessé l'école et travaillait à deux endroits, effectuant des tâches qu'il ne trouvait pas épanouissantes. Dans l'environnement stérile de l'unité de transplantation, il se sentait seul et avait la sensation que sa vie lui échappait. La nuit, alors qu'il était allongé seul dans sa chambre d'hôpital, il regardait le clignotement de la lumière et écoutait le petit bruit régulier et sans fin que faisait sa pompe intraveineuse. Il ressentait un vide et une solitude incroyables et la sensation d'isolement que peut procurer une maladie grave. Malgré ce tourbillon émotionnel, il s'observait en train de penser et d'aller vers de nouvelles directions. Il me dit à cet égard : « J'avais presque la sensation de flotter au plafond et de m'observer alors que mes idéaux et mes valeurs changeaient et devenaient plus clairs. Il est possible que les médicaments aient un peu contribué à cette expérience. Je ne sais pas, mais ces nuits sans fin ont été décisives. » James m'expliqua ce qu'il avait ressenti : « Ma nouvelle vie se révélait à moi au milieu du chaos du traitement, malgré mes incertitudes à propos de mon avenir. Je me découvris subitement une passion et un enthousiasme pour la vie, ainsi qu'une motivation et une détermination à laisser une marque, et pas seulement à survivre. J'ai réalisé que je pouvais aider les autres. Je voulais faire de mon mieux, vaincre cette foutue maladie et essayer d'apporter ma contribution. » Cette histoire date d'il y a 13 ans. Aujourd'hui, James est devenu docteur James, un oncologue en radiothérapie qui s'occupe de patients atteints du cancer et leur apporte de l'espoir.

RÉSUMÉ

Trouver l'équilibre dans notre vie et mettre l'accent sur les centres d'intérêt et les activités qui nous plaisent favorisent l'intensité, la concentration et l'enthousiasme. La recherche de l'excellence ne se fait pas sans détermination, sans passion ou sans un plan bien clair. Le succès n'arrive pas par accident. Ce sont nos rêves et notre lutte incessante pour les réaliser qui déterminent notre avenir.

RECHERCHES SUR LES ÉTUDES CLINIQUES : POUR MIEUX COMPRENDRE LA SCIENCE

Lorsque vous recevez un diagnostic de cancer, il vous faut prendre de nombreuses décisions dont l'une des plus importantes et des plus urgentes est de savoir si vous voulez participer à une étude clinique. En participant à une telle étude, vous pouvez bénéficier du meilleur traitement disponible au moment de votre diagnostic, mais il vous faudra d'abord prendre quelques décisions. Ce chapitre vous aidera à comprendre en quoi consiste ce genre d'étude et quels sont vos droits lorsque vous décidez d'y participer.

Les recherches qui ont été utilisées pour ce livre et qui constituent sa base scientifique portent toutes sur des essais cliniques. Ce que nous avons appris de ces essais cliniques constitue le fondement de notre compréhension actuelle des bienfaits de l'exercice sur les patients atteints du cancer et sur ceux qui survivent à cette maladie. Les patients qui se sont joints à ces études à différents moments de leur traitement, conformément au protocole de recherche (série de règles qui régissent l'étude), ont été suivis pendant des périodes différentes. Ces études nous ont permis de découvrir que l'exercice pouvait diminuer les risques d'autres effets secondaires à long terme reliés au traitement. Tous les patients qui y ont participé ont dû évaluer les avantages et les inconvénients de leur participation et décider si les exigences et les engagements relatifs à cette étude leur convenaient. Ces patients ont décidé de participer à l'étude pour différentes raisons, mais la plus fréquente est le désir d'aider leurs enfants et les générations futures à accroître leurs chances de guérison et d'apporter leur contribution à la science. Grâce à la générosité de ces patients, à leur volonté de donner de leur temps et de leur énergie et à leur désir sincère d'aider les autres, j'ai pu écrire ce livre, partager les connaissances que j'ai acquises lors de mes recherches et, je l'espère, avoir une influence positive sur votre vie.

QU'EST-CE QU'UNE ÉTUDE CLINIQUE ?

Avant qu'un nouveau traitement expérimental prometteur contre le cancer ou une autre maladie ne puisse devenir une thérapie standard, des études de recherche, connues sous le nom d'études cliniques, doivent être menées pour déterminer si cette nouvelle approche est efficace et sans danger. Une étude clinique est entreprise lorsqu'un chercheur ou un groupe de chercheurs estime qu'une nouvelle intervention spécifique ou un nouveau traitement pourrait être avantageux pour le patient. Même si les chercheurs essaient de trouver des moyens de prévenir ou de traiter une maladie, comme le cancer ou encore d'améliorer la qualité de vie du patient pendant et après le cancer, il peut arriver que le traitement ne parvienne pas à traiter ou à prévenir la maladie, ou qu'il ne soit pas efficace pour améliorer la qualité de vie du patient.

Cependant, sans ce genre d'étude, nous ne saurions pas si un traitement ou une intervention est efficace. En effet, nous étudions le fonctionnement de ces interventions et leurs effets secondaires éventuels, de même que le moment où ils pourraient survenir. Grâce à ces études cliniques, nous commençons à obtenir les réponses qui nous permettent de trouver de meilleurs traitements contre le cancer et des moyens plus efficaces de contrôler les effets secondaires que les patients doivent couramment subir, quel que soit leur type de traitement. Des études bien conçues et menées avec soin représentent le moyen le plus rapide et le plus sûr de découvrir de nouveaux traitements efficaces.

De nombreux patients atteints du cancer doivent décider s'ils veulent participer à une étude clinique. Il est possible que l'on vous propose de participer à une étude clinique parce que votre médecin estime que ce traitement peut vous offrir de plus grandes chances de guérir, de vous rétablir ou d'avoir une meilleure qualité de vie. Lorsque vous réfléchissez à la possibilité de participer, il est important de rassembler le plus de renseignements possibles sur l'étude et de poser autant de questions que vous le désirez. Il est normal que vous soyez bien informé et que vous sachiez ce que l'étude implique pour être en mesure de peser le pour et le contre et de juger si l'implication est avantageuse pour vous. Se joindre à une étude est une démarche volontaire. Votre équipe soignante ou l'équipe de recherche doit vous expliquer en quoi elle consiste et vous fournir une copie du formulaire de consentement, lequel énonce les procédures de l'étude ainsi que les avantages et inconvénients potentiels. Il est important que vous sachiez que vous pouvez vous retirer de l'étude à tout moment, même après avoir signé le formulaire d'inscription.

PHASES DES ÉTUDES CLINIQUES

Il existe une grande variété d'études cliniques. Elles englobent les études pour la prévention du cancer, le dépistage précoce, le traitement et la qualité de vie. Ces études sont menées par phases, principalement dans le cas des études qui portent sur de nouveaux médicaments ou sur l'utilisation d'un médicament existant pour traiter une nouvelle maladie. Ces phases sont organisées de manière méthodique :

- Phase 1 : Il s'agit des premières études menées auprès des patients pour répondre à des questions comme : Comment le médicament doit-il être administré ? À quelle fréquence le médicament doit-il être donné ? Quel est le meilleur dosage ? Les essais de la phase 1 sont effectués auprès de petits groupes de patients, habituellement entre 20 et 80, et portent sur les risques potentiels d'un médicament ou d'une intervention, sur la posologie et sur les effets secondaires.
- Phase 2 : Ces études sont menées auprès de groupes plus importants, habituellement entre 110 et 300 participants, et portent sur l'efficacité et sur les risques potentiels d'un médicament ou d'une intervention. Les questions habituelles relatives à cette phase de l'étude sont : Quel est le taux de rémission ? Dans quelle mesure l'intervention ou le médicament réduit-il (ou augmente-t-il) un symptôme précis comme la douleur ou la fatigue ?
- Phase 3 : À cette étape d'une étude clinique, le traitement expérimental est prometteur et les essais devant être menées exigent un plus grand nombre de participants, soit un minimum de 1 000 personnes. Ces études visent à comparer le traitement expérimental au traite-

ment habituel. Des renseignements continuent à être accumulés pour confirmer l'efficacité du traitement et pour surveiller les effets secondaires. Les résultats de la phase 3 fournissent les renseignements permettant une utilisation commerciale sans danger du médicament ou du traitement.

• Phase 4 : Ces études sont effectuées lorsque le médicament ou l'intervention est disponible sur le marché. Les essais de la phase 4 continuent à tester le produit (médicament ou traitement) pour déterminer son efficacité auprès de différentes populations et pour déterminer s'il entraîne des effets secondaires lorsqu'il est utilisé régulièrement à long terme.

PARTICIPER À UNE ÉTUDE

Tous les études cliniques respectent un protocole qui contient des directives précises pour les personnes qui sont admissibles. Ces directives sont établies sur des facteurs comme l'âge, le sexe, le type et la phase de la maladie, les antécédents médicaux et l'état pathologique actuel. Vous êtes admissible à un essai clinique si vous répondez aux exigences spécifiques du protocole, qui sont également appelées critères d'inclusion et d'exclusion. Ces critères ne visent pas à rejeter les gens mais plutôt à repérer les personnes pour qui l'étude serait la plus profitable, à maintenir une certaine sécurité et à s'assurer que la question sur laquelle porte l'étude trouvera une réponse.

Par exemple, il est arrivé fréquemment que des patients veuillent participer à mes études portant sur l'exercice parce qu'ils aimaient faire du sport ou parce qu'ils pensaient qu'ils supporteraient mieux leur traitement. Mais, après leur avoir posé des questions plus précises, je décide parfois qu'ils ne sont pas admissibles en raison de maladies antérieures, du type de chimiothérapie qu'ils reçoivent ou simplement parce qu'ils font trop d'exercice. Savoir déterminer si une personne est admissible ou non est très important si l'on veut protéger les participants et l'intégrité de l'étude.

QUE SE PASSE-T-IL LORS D'UNE ÉTUDE ?

Si vous avez été invité à participer à un essai, vous recevrez des informations sur celui-ci et sur les procédures à respecter, ainsi qu'un formulaire de consentement qui fournit des renseignements précis sur cette étude, ses critères d'admissibilité, la raison pour laquelle elle est menée ainsi que ses avantages et ses inconvénients. Assurez-vous de prendre le temps de lire le formulaire, de réfléchir à l'étude et d'obtenir toutes les réponses à vos questions. Il est important que vous compreniez ce que cette étude implique, ainsi que son objectif, ses avantages et les risques potentiels. Une bonne compréhension du contexte fait partie d'un processus de consentement éclairé. Le processus de consentement éclairé est essentiel et permet de garantir que vos droits sont protégés et que votre sécurité est assurée. Avant qu'il ne soit possible de recruter des patients, un comité d'examen institutionnel doit approuver l'étude et le formulaire de consentement. Le comité d'examen est constitué d'un groupe de professionnels et de non-professionnels qui examinent le protocole de recherche ainsi que l'équipement qui sera utilisé pour s'assurer que l'étude ne présente aucun danger, qu'elle est éthique et qu'elle n'expose pas le patient à un risque indu ou inutile.

Certaines études exigent un nombre plus élevé de tests et de visites chez le médecin que ce qui se fait habituellement pour le traitement de votre maladie. L'équipe de recherche vous informera des rendez-vous de suivi. Le respect du protocole et des directives de l'étude est essentiel pour votre sécurité et pour la réussite ultime de l'étude. Gardez un contact étroit avec l'équipe de recherche et n'hésitez pas à poser des questions.

Les études sont conçues de différentes façons. Certaines utilisent des placebos sous forme de poudres, de cachets ou de liquides inactifs qui n'ont aucune valeur thérapeutique. Les études avec placebos sont utilisées à des fins de comparaison avec un autre traitement. Il existe également des études en aveugle. Une étude en aveugle peut être simple, ce qui veut dire que les participants ne savent pas s'ils font partie du groupe expérimental ou du groupe de contrôle (sous placebo), ou elle peut être double, ce qui signifie que ni l'équipe de recherche ni les participants ne savent qui reçoit le traitement expérimental. Une étude en double aveugle permet d'éviter que les attentes du médecin ou du patient influencent le résultat.

AVANTAGES ET INCONVÉNIENTS

Il existe des avantages et des inconvénients à tout ce que nous entreprenons et la recherche ne fait pas exception. Participer à une étude clinique offre plusieurs avantages : 1) vous jouez un rôle actif dans la gestion de vos soins de santé ; 2) vous avez accès à un traitement avant-gardiste qui n'est pas proposé à toutes les personnes qui sont dans le même état que vous ; 3) vous pouvez obtenir des soins médicaux de professionnels de la médecine pendant la durée de l'essai ; 4) vous contribuez à la recherche médicale, à la société et aux patients futurs.

Il est important de bien comprendre que la participation à une étude clinique comporte des inconvénients avant de donner votre consentement. Ces inconvénients comprennent les éléments suivants : 1) les effets secondaires du médicament ou du traitement propres à l'étude ; 2) l'inefficacité du traitement sur vous ; 3) l'investissement en temps pour participer et adhérer au protocole, ce qui sous-entend des allers-retours supplémentaires pour vous rendre sur le lieu de l'étude, des tests additionnels, des régimes de traitement compliqués ou la tenue d'un carnet.

Lorsque vous lisez le consentement éclairé et discutez de l'étude avec votre médecin ou avec l'équipe de recherche, n'hésitez pas à poser des questions de façon à comprendre ses avantages et ses inconvénients. Vous êtes celle ou celui qui prend la décision de participer et, sans une bonne compréhension des avantages et des inconvénients, il est difficile de prendre une décision éclairée. Rappelez-vous cependant que vous pouvez toujours vous retirer de l'étude si vous décidez au bout de quelque temps que vous ne voulez plus y participer.

RECHERCHE D'UNE QUALITÉ DE VIE

Lou était un propriétaire de ranch âgé de 67 ans qui avait récemment été diagnostiqué avec un cancer du poumon. La perspective de la maladie le déprimait et il se demandait comment il pourrait poursuivre les activités reliées à son ranch tout en s'occupant de sa famille. Il se remettait à peine de son opération chirurgicale et ne se sentait pas suffisamment en forme pour mener à bien ses activités habituelles, et la perspective de commencer la chimiothérapie avant de se sentir mieux le terrorisait. Lou et sa famille mettaient cinq heures pour se rendre au centre de traitement du cancer où il recevait sa thérapie. Au cours de la dernière visite de Lou, son médecin lui avait remis de l'information concernant le traitement standard adapté à son type de cancer du poumon, ainsi que de l'information sur une étude clinique à laquelle il était admissible. Lou discuta longuement avec sa famille des deux possibilités qui s'offraient à lui. Ils pesèrent le pour et le contre et arrivèrent à la conclusion qu'en raison de la distance qu'ils devaient parcourir pour se rendre au centre de traitement, l'étude clinique serait peut-être trop contraignante. Lou rencontra alors son oncologue pour discuter de sa décision de recevoir le traitement standard, mais il l'informa que s'il existait des études qui ne nécessitaient pas autant de temps et de déplacement, il aimerait y participer. Son médecin lui mentionna l'existence de nos recherches portant sur l'exercice. Lou ne savait pas qu'il s'agissait d'études visant à améliorer la qualité de vie. Lorsqu'il apprit que l'étude n'exigeait aucun déplacement supplémentaire et qu'il pourrait effectuer les exercices chez lui, il fut ravi d'être admissible et s'y inscrivit. Il dit maintenant à ce sujet : « L'étude sur l'exercice a complété mes soins et j'ai senti que je faisais non seulement quelque chose de bien pour moi, mais aussi que j'aidais peut-être les autres à apprendre à mieux vivre avec le cancer. L'exercice a amélioré mon état d'esprit et m'a redonné espoir en la vie et en ma capacité à supporter ce maudit traitement ! »

QUESTIONS À POSER AVANT DE PRENDRE
LA DÉCISION DE PARTICIPER

Préparez à l'avance votre rencontre avec l'équipe de recherche. Si vous disposez du formulaire de consentement éclairé, lisez-le avant le rendez-vous et notez vos questions. Emmenez un ami ou un membre de la famille avec vous pour poser des questions et pour qu'une paire d'oreilles supplémentaire puisse entendre les réponses à vos questions ! Il pourrait également être utile d'apporter un magnétophone pour que vous puissiez écouter la conversation ultérieurement ou un carnet de notes que vous pourrez consulter plus tard.

Vous trouverez ci-dessous des questions qui pourraient vous aider à prendre votre décision. Utilisez-les pour commencer votre propre liste de questions qui se rapporteront à votre situation et à l'étude à laquelle vous envisagez de participer.

Quelles autres possibilités de traitement s'offrent à moi ?

Quel est l'objet de cette étude ? Qui en est responsable ?

Quel est le sponsor de cette étude ?

Quels sont, selon vous, les avantages dont je peux bénéficier ?

Quels traitements ou tests supplémentaires devrai-je subir pendant l'étude ?

Combien de temps dure cette étude ?

Dois-je éviter certains médicaments ou certaines activités pendant la durée de l'étude ?

Quels sont les inconvénients de cette étude par rapport aux traitements approuvés ?

Existe-t-il des risques d'effets secondaires à long terme ?

Quels sont les frais de l'étude ? Qui paie l'étude ? L'assurance va t-elle couvrir mes dépenses ?

De quelle façon la confidentialité de mes renseignements personnels et de mon dossier médical est-elle protégée ?

Participer à une étude

Debbie avait 36 ans et travaillait comme libraire lorsqu'une forme grave de cancer du sein lui a été diagnostiquée. Elle était submergée par toutes sortes d'émotions et par les nombreuses décisions qu'elle devait prendre. Lorsque Debbie rencontra son oncologue pour la première consultation et discussion par rapport au traitement, trois options lui furent présentées relativement à la chimiothérapie. Une des options était de faire partie d'une étude clinique. Cette étude permettrait à Debbie de bénéficier de traitements avant-gardistes et des meilleurs soins disponibles. Mais le traitement serait plus lourd, ce qui impliquait davantage de chimiothérapie et la possibilité d'effets secondaires accrus. Debbie et son mari, Matt, écoutèrent le médecin, prirent des notes concernant les possibilités de traitement et repartirent avec le formulaire de consentement pour l'examiner chez eux. Une fois seuls, ils discutèrent des avantages et des inconvénients de chaque option de traitement et des chances de guérison. Même si l'étude clinique nécessitait de passer plus de temps au centre de traitement et de passer des tests supplémentaires (dont les coûts étaient défrayés par l'étude), elle décida d'y participer. Debbie voulait mettre toutes les chances de son côté de guérir et de participer comme elle le pouvait à la recherche scientifique. Elle décrivit ce qu'elle ressentait par rapport à cette étude de la façon suivante : « J'ai l'impression que j'ai non seulement bénéficié des meilleurs médicaments qui existaient au moment de mon diagnostic, mais que j'ai été en outre capable d'apporter ma contribution à la science, d'aider les femmes souffrant de cette maladie et de faire quelque chose de bien de ma vie. Je vis sans cancer depuis quatre ans et si je devais revenir en arrière je prendrais la même décision. Le traitement était exigeant, mais je crois que toutes les formes de chimiothérapie le sont, et je suis reconnaissante d'avoir eu la possibilité d'apporter ma contribution. »

OÙ DOIS-JE M'INFORMER POUR SAVOIR QUELLES ÉTUDES CLINIQUES SONT MENÉES DANS MA RÉGION?

Le meilleur moyen d'en savoir plus sur les programmes de recherche portant sur les études cliniques pour lesquelles vous pourriez être admissible est de vous informer auprès de votre équipe soignante. Il est possible que vous puissiez participer aux études qu'elle mène. L'Internet permet également d'en apprendre plus sur les études cliniques menées dans votre région ou sur celles auxquelles vous pourriez avoir envie de participer. Les sites Internet suivants peuvent vous être utiles :

- Le site de la Fédération nationale des centres de lutte contre le cancer fournit des renseignements généraux sur les études cliniques en France : www.fnclcc.fr.
- Le site de Communication aux oncologues en temps réel d'essais cliniques est un site français qui fournit au public et aux professionnels de la santé des renseignements sur les études cliniques menées et des liens vers des sites utiles. Il est possible d'y effectuer une recherche par type de cancer pour connaître les essais cliniques qui s'y rapportent : www.cotrec.org.

- Le site de la Société canadienne du cancer fournit des renseignements généraux sur les études cliniques au Québec et sur les droits des patients, et il offre également des liens vers des sites canadiens proposant des listes d'études cliniques menées au Canada : www. cancer.ca.
- L'Institut Gustave-Roussy, premier centre européen de lutte contre le cancer, fournit également des listes d'études cliniques en cours : www. Igr.fr.

RÉSUMÉ

Participer à une étude clinique peut augmenter vos chances de guérison parce que vous recevrez le meilleur traitement qui existe et vous aurez l'occasion d'apporter votre contribution à la science et à l'humanité. Vous devez toutefois prendre en considération les inconvénients éventuels, comme des effets secondaires inhabituels reliés à un nouveau médicament et un investissement supplémentaire de temps pour passer les tests médicaux et pour les visites chez le médecin. Notre compréhension de la science et de la façon de traiter le cancer s'améliore grâce aux essais cliniques des différentes études et à tous les patients qui y participent. Les recherches portant sur l'exercice présentées dans ce livre ont été rendues possibles en partie grâce à des subventions de recherche, mais surtout grâce aux patients qui ont accepté d'y participer pour aider à déterminer si l'exercice avait une influence sur eux. Grâce à tous ces participants, nous avons appris beaucoup, et je suis maintenant en mesure de vous faire profiter de ces connaissances.

CONTRAT DU PROGRAMME
EN FORME POUR COMBATTRE LE CANCER

Je, soussigné(e) ——————————— , consens à respecter le programme d'exercices En forme pour combattre le cancer pendant 12 semaines. Je commencerai par dresser une liste complète des raisons pour lesquelles je désire entreprendre ce programme et de toutes les barrières et excuses que je pourrais rencontrer par la suite. Je m'efforcerai de me fixer des objectifs hebdomadaires raisonnables et réalisables et de faire un suivi de mon évolution dans mon carnet d'exercices. Je sais que si mes objectifs ne sont pas raisonnables, je ne réussirai pas, mais je sais également que je peux revoir ces objectifs pour les rendre réalisables. Je reconnais que certains obstacles à ma progression pourraient représenter des défis nécessitant une modification de mes objectifs mais que ces défis ne m'empêcheront pas de mener à bien le programme.

Je signe aujourd'hui ce contrat en présence de mon compagnon d'exercice, lequel est mon témoin.

———————————————————————————
Signature

———————————————————————————
Date

———————————————————————————
Signature du témoin

———————————————————————————
Nom du témoin

CARNET D'EXERCICES DE RÉSISTANCE

PROGRAMME D'EXERCICES DE RÉSISTANCE «A»

Exercices	Date		Date		Date	
	Séries et répétitions	Couleur de bande élastique/Poids	Séries et répétitions	Couleur de bande élastique/Poids	Séries et épétitions	Couleur de bande élastique/Poids
Flexion des jambes						
Extension dorsale						
Extension des jambes						
Écarté couché						
Adduction des hanches						
Flexion des biceps						
Abduction des hanches						

PROGRAMME D'EXERCICES DE RÉSISTANCE « B »

Exercices	Date		Date		Date	
	Séries et répétitions	Couleur de bande élastique/ Poids	Séries et répétitions	Couleur de bande élastique/ Poids	Séries et répétitions	Couleur de bande élastique/ Poids
Allongé						
Développé couché						
Flexion des ischio-jambiers						
Rameur incliné						
Extension des hanches						
Flexion des biceps						
Extension des triceps						

CARNET D'EXERCICES D'AÉROBIE

Date: **Heure:**   **Climat:**

Lieu:

Activité:

Durée:

Effort perçu:

Note:

Date: **Heure:**   **Climat:**

Lieu:

Activité:

Durée:

Effort perçu:

Note:

Date: **Heure:**   **Climat:**

Lieu:

Activité:

Durée:

Effort perçu:

Note:

GLOSSAIRE

Absorptiométrie biphotonique à rayons X. Test courant et précis visant à mesurer la densité osseuse de l'ensemble du corps et de régions précises du corps comme les hanches ou la colonne vertébrale.

Antiémétique. Médicament qui réduit ou qui supprime les nausées et les vomissements.

Capacité fonctionnelle. Degré de facilité avec lequel une personne exécute des tâches, en fonction de sa capacité cardiaque et pulmonaire.

Chimiothérapie. Médicaments utilisés pour traiter une maladie – le cancer, dans ce cas précis – et qui peuvent être administrés par voie orale ou par intraveineuse.

Densité minérale osseuse ou densité osseuse. Quantité d'os minéralisés dans le corps.

Entraînement en force musculaire. Voir *Exercice de résistance.*

Épidémiologie. Science étudiant la cause et la propagation d'une maladie.

Étude clinique. Étude pour laquelle les participants sont choisis au hasard afin de former des groupes d'évaluation de l'action d'un traitement. Le traitement peut consister en une prise de médicaments, un régime alimentaire ou de l'exercice physique. Durant une étude, on parlera d'essais cliniques. Ce sont les différents tests d'évaluation.

Exercice d'aérobie. Exercice continu et soutenu qui augmente la fréquence cardiaque.

Exercice de port de poids. Exercice au cours duquel vos jambes supportent le poids de votre corps, comme la marche ou la course.

Exercice de résistance. Exercice visant à accroître la force musculaire effectué à l'aide de poids ou d'une bande élastique.

Immunothérapie. Traitement qui améliore le système de défenses naturelles du corps pour limiter ou supprimer des cellules cancéreuses.

Lymphœdème. Gonflement du bras ou de la jambe causé par le retrait de ganglions lymphatiques ou par la radiothérapie.

Macrocycle. Période constituée de plusieurs mésocycles.

Malignité. Caractère cancéreux d'une tumeur ayant la capacité de grossir et de se reproduire.

Masse osseuse. Le total des os contenus dans le corps.

Ménopause. Interruption des menstruations. Survient naturellement entre 45 et 55 ans. Une ménopause prématurée peut être causée par certaines formes de chimiothérapie ou par une opération chirurgicale consistant à retirer les ovaires (ovariectomie).

Mésocycle. Période constituée de trois ou quatre semaines d'exercice pendant lesquelles des périodes d'exercice d'intensité élevée alternent avec des périodes d'exercices de faible intensité.

Métastase. Propagation de cellules cancéreuses par la circulation sanguine ou lymphatique vers des parties du corps éloignées.

Microcycle. Période d'exercices d'une durée de sept jours ou plus.

Neuropathie périphérique. Diminution ou perte totale de sensation survenant principalement dans les doigts et dans les orteils et occasionnée par certains traitements de chimiothérapie.

Notation de la perception de l'effort. Moyen permettant de déterminer à quelle intensité un exercice est effectué.

Ostéopénie. Diminution de la densité osseuse produisant un écart se traduisant par un T score de 1 à 2,5 en dessous de la moyenne de la densité osseuse normale des jeunes adultes.

Ostéoporose. Diminution de la masse et de la densité osseuse produisant un écart se traduisant par un T score inférieur à 2,5 en dessous de la moyenne de la densité osseuse normale des jeunes adultes. État chronique progressif qui peut entraîner des fractures osseuses.

Placebo. Cachet, liquide ou poudre neutre n'ayant aucune valeur thérapeutique.

Protocole. Série de règles utilisées dans le cadre d'une étude pour s'assurer que les participants conviennent à l'étude et qu'ils adhèrent aux procédures de celle-ci.

Radiothérapie. Traitement du cancer basé sur les rayons X à haute énergie.

Récurrence. Récidive du cancer dans le même organe ou dans un organe différent.

Rémission. Disparition partielle ou totale d'une maladie décelable ou mesurable.

Répétition. Nombre de fois où vous effectuez un mouvement complet à l'aide d'un poids.

Série. Période constituée d'un exercice complet et d'une période de repos avant de recommencer l'exercice (par exemple, 8 répétitions d'extension des jambes effectuées 3 fois ou en 3 séries).

Soins habituels. Normes de soins destinés à une maladie précise, par opposition au traitement expérimental.

Stomatite. Inflammation de la muqueuse buccale se traduisant par des rougeurs et douleurs buccales liées à certains traitements de chimiothérapie.

T score. Nombre de déviations standard par rapport à la valeur maximale d'un sujet jeune en fin de croissance.

LECTURES SUGGÉRÉES

Vous trouverez ci-dessous certains des documents dont je me suis inspirée pour écrire ce livre. Il est possible d'accéder à certains articles par Internet et d'autres sont disponibles dans des librairies médicales.

Blanchard, C.M., K.S. Courneya, W.M. Rodgers et D.M. Murnaghan. « Determinants of Exercise Intention and Behavior in Survivors of Breast and Prostate Cancer : An Application of the Theory of Planned Behavior », *Cancer Nursing,* vol. 25, n° 2, avril 2002, p. 88-95.

Byers, T., M. Nestle, A. McTiernan, C. Doyle, A. Currie-Williams, T. Gansler et M. Thun. « American Cancer Society Guidelines on Nutrition and Physical Activity for Cancer Prevention : Reducing the Risk of Cancer with Healthy Food Choices and Physical Activity », *CA. Cancer Journal for Clinicians,* vol. 52, n° 2, mars-avril 2002, p. 92-119.

Chlebowski, R.T., E. Aiello et A. McTiernan. « Weight Loss in Breast Cancer Patient Management », *Journal of Clinical Oncology,* vol. 20, n° 4, 15 février 2002, p. 1128-1143.

Courneya, K.S., C.M. Blanchard et D.M. Lang. « Exercise Adherence in Breast Cancer Survivors Training for a Dragon Boat Race Competition : A Preliminary Investigation », *Psychooncology,* vol. 10, n° 5, septembre-octobre 2001, p. 444-452.

Courneya, K.S. et C.M. Freidenreich. « Relationship Between Exercise Pattern Across the Cancer Experience and Current Quality of Life in Colorectal Cancer Survivors », *Journal of Alternative and Complementary Medicine,* vol. 3, n° 3, automne 1997, p. 215-226.

Demark-Wahnefried, W., V. Hars, M.R. Conaway, K. Havlin, B.K. Rimer, G. McElveen et E.P. Winer. « Reduced Rates of Metabolism and Decreased Physical Activity in Breast Cancer Patients Receiving Adjuvant Chemotherapy », *American Journal of Clinical Nutrition,* vol. 65, 1997, p. 1495.

Dimeo, F.C., S. Fetscher, W. Lange, R. Mertelsmann et J. Keul. « Effects of Aerobic Exercise on the Physical Performance and Incidence of Treatment-Related Complications After High-Dose Chemotherapy », *Blood,* vol. 90, 1997, p. 3390-3394.

Dimeo, F.C., B.G. Rumberger et J. Keul. « Aerobic Exercise as Therapy for Cancer Fatigue », *Medicine and Science in Sports and Exercise,* vol. 30, n° 4, 1998, p. 475-478.

Dimeo, F.C., R.D. Stieglitz, U. Novelli-Fischer, S. Fetscher, R. Mertelsmann et J. Keul. « Correlations Between Physical Performance and Fatigue in Cancer Patients », *Annals of Oncology,* vol. 8, 1997, p. 1251-1255.

Dimeo, F.C., R.D. Stieglitz, U. Novelli-Fischer, S. Fetscher et J. Keul. « Effects of Physical Activity on the Fatigue and Psychologic Status of Cancer Patients During Chemotherapy », *Cancer,* vol. 85, n° 10, 1999, p. 2273-2277.

Dimeo, F.C., M.H.M. Tilmann, H. Bertz, L. Kanz, R. Mertelsmann, et J. Keul. « Aerobic Exercise in the Rehabilitation of Cancer Patients After High-Dose Chemotherapy and Autologous Stem Cell Transplantation », *Cancer,* vol. 79, 1997, p. 1717-1722.

Dishman, R.K. « Determinants of Participation in Physical Activity », dans C. Bouchard, R.J. Shepard, T. Stephens et coll. 1998. « Exercise, Fitness and Health », Champaign IL, Human Kinetics Books, p. 75-101.

Evenson, K.R., S. Wilcox, M. Petinger, R. Brunner, A.C. King et A. McTiernan. « Vigorous Leisure Activity Through Women's Adult Life : The Women's Health Initiative Observational Cohort Study », *American Journal of Epidemiology,* vol. 156, n° 10, 15 novembre 2002, p. 945-953.

Fairey, A.S., K.S. Courtenya, C.J. Field et J.R. Mackey. « Physical Exercise and Immune System Function in Cancer Survivors : A Comprehensive Review and Future Directions », *Cancer,* vol. 94, n° 2, 15 janvier 2002, p. 539-551.

Godfrey, C.M. « "Yes" to Exercise for Breast Cancer Survivors », *Canadian Medical Association Journal,* vol. 159, n° 11, 1er décembre 1998, p. 1358.

Hovi, L., P. Era, J. Rautonen et M.A. Siimes. « Impaired Muscle Strength in Female Adolescents and Young Adults Surviving Leukemia in Childhood », *Cancer,* vol. 72, n° 1, 1er juillet 1993, p. 1358.

Jenney, M., B. Faragher, P. Jones et A. Woodcock. « Lung Function and Exercise Capacity in Survivors of Childhood Leukemia. » *Medical and Pediatric Oncology,* vol. 24, 1995, p. 222-230.

Jones, L.W. et K.S. Courneya. « Exercise Discussions During Cancer Treatment Consultations », *Cancer Practice,* vol. 10, n° 2, mars-avril 2002, p. 66-74.

Keats, M.R., K.S. Courneya, S. Danielsen et S.F. Whitsett. « Leisure-Time Physical Activity and Psychosocial Well-Being in Adolescents After Cancer Diagnosis », *Journal of Pediatric Oncology,* vol. 16, 1999, p. 180-188.

Kent, H. « Breast-Cancer Survivors Begin the Challenge to Exercise Taboos », *Canadian Medical Association Journal,* vol. 55, n° 7, 1er octobre 1996, p. 969-971.

Kohl, H.W. « Physical Activity and Cardiovascular Disease : Evidence for a Dose Response », *Medicine and Sciemce in Sports and Exercise,* vol. 33 (6 suppl.), juin 2001, S472-483.

Layne, J. et M. Nelson. « The Effects of Progressive Resistance Training on Bone Density : A Review », *Medicine and Science in Sports and Exercise,* vol. 31, n° 1, 1999, p. 25-30.

Lee, I.M. et P.J. Skerrett. « Physical Activity and All-Cause Mortality : What Is the Dose Response Relation ? » *Medicine and Science in Sports and Exercise,* vol. 33 (6 suppl.), juin 2001, S459-471.

MacVicar, M.G. et M.L. Winningham. « Promoting the Functional Capacity of Cancer Patients », *Cancer Bulletin,* vol. 38, 1986, p. 235-239.

Maguire, G.P., E.G. Lee, D.J. Bevington, C.S. Kuchemann, R.J. Crabtree et C. Cornell. « Psychiatric Problems in the First Year After Mastectomy », *British Medical Journal,* vol. 1, 1978, p. 963-967.

Martinsen, E.W. « The Role of Aerobic Exercise in the Treatment of Depression », *Stress Medicine,* vol. 3, 1987, p. 93-100.

Matthys, D., H. Verhaaren, Y. Benoiit, G. Laureys, A. De Naeyer et M. Craen. « Gender Differences in Aerobic Capacity in Adolescents After Cure From Malignant Disease in Childhood », *Acta Pediatrica,* vol. 82, 1993, p. 459-462.

McTiernan, A. « Physical Activity and the Prevention of Breast Cancer », *Medscape Womens Health,* vol 5, n° 5, septembre-octobre 2000, p. E1.

McTiernan, A., C. Ulrich, C. Kumai, R. Schwartz, J. Mahloch, R. Hastings, J. Gralow et J.D. Potter. « Anthropometric and Hormone Effects of an Eight-Week Exercise-Diet Intervention in Breast Cancer Patients : Results of a Pilot Study », *Cancer, Epidemiology, Biomakers and Prevention,* vol. 7, 1998, p. 477-481.

Mock, V., M.B. Burke, P. Sheehan, E.M. Creaton, M.L. Winningham, S. McKenney-Tedder, L.P. Schwager et M. Liebman. « A Nursing Rehabilitation Program for Women with Breast Cancer Receiving Adjuvant Chemotherapy », *Oncology Nursing Forum,* vol. 21, 1994, p. 899-907.

Mock, V., K.H. Dow, C.J. Meares, P.M. Grimm, J.A. Dienemann, M.E. Haisfield-Wolfe, W. Quitasol, S. Mitchell, A. Chakravarthy et I. Gage. « An Exercise Intervention for Management of Fatigue and Emotional Distress During Chemotherapy Treatment for Breast Cancer », *Oncology Nursing Forum,* vol. 24, 1997, p. 991-1000.

Morgan, W.P. « Anxiety Reduction Following Acute Physical Activity », *Psychiatric Annals,* vol. 9, 1979, p. 36-45.

Moses, J., A. Steptoe, A. Mathews et S. Edwards. « The Effects of Exercise Training on Mental Well-Being in the Normal Populations: A Controlled Trial », *Journal of Psychosomatic Research,* vol. 33, 1989, p. 47-61.

Pinto, B.M. et N.C. Maruyama. « Exercise in the Rehabilitation of Breast Cancer Survivors », *Psychooncology,* vol. 8, n° 3, mai-juin 1999, p. 191-206.

Polinsky, M. « Functional Status of Long-Term Breast Cancer Survivors: Demonstrating Chronicity », *Health and Social Work,* vol. 3, 1994, p. 166-177.

Rockhill, B., W.C. Willett, J.E. Manson, M.F. Leitzmann, M.J. Stampfer, D.J. Hunter et G.A. Colditz. « Physical Activity and Mortality: A Prospective Study Among Women », *American Journal of Public Health,* vol. 91, n° 4, 2001, p. 578-583.

Rose, M.A. « Health Promotion and Risk Prevention: Applications for Cancer Survivors », *Oncology Nursing Forum,* vol. 16, n° 3, mai-juin 1998, p. 335-340.

Roth, D.L. et D.S. Holmes. « Influences of Aerobic Exercise Training and Relaxation Training on Physical and Psychologic Health Following Stressful Life Events », *Psychosomatic Medicine,* vol. 49, 1987, p. 355-365.

Schwartz, A.L. « Fatigue Mediates the Effects of Exercise on Quality of Life in Women with Breast Cancer », *Quality of Life Research,* vol. 8, 1999, p. 529-538.

Schwartz, A.L. « Weight Change in Women Who Do and Do Not Exercise During Adjuvant Chemotherapy for Breast Cancer », *Cancer Practice,* vol. 8, 2000a, p. 229-237.

Schwartz, A.L. « Daily Fatigue Patterns and Effects of Exercise in Women with Breast Cancer », *Cancer Practice,* vol. 8, n° 1, 2000b, p. 16-24.

Schwartz, A.L. Cancer, dans G. Moore (éd.). « Exercise Prescription in Chronic Disease », Champaign, IL, Human Kinetics Books, 2001, p. 252-267.

Schwartz, A.L. « Effects of Exercise on Bone Mineral Density and Body Composition of Breast Cancer Patients Receiving Chemotherapy », *Medicine and Science in Sports Exercise,* vol. 33, 2002a, S276, p. 1557.

Schwartz, A.L. « Effect of Exercise on Bone Mineral Density in Pre- and Postmenopausal Women Receiving Chemotherapy for Breast Cancer », *Journal of Clinical Oncology,* vol. 21, 2002b, partie 1, p. 1416.

Schwartz, A.L., M. King, C. Samson et J. Holub. « A Randomized Trial of Exercise for Newly Diagnosed Patients Receiving Chemotherapy: Effects on Bone Density and Body Composition », *Oncology Nursing Forum,* vol. 29, n° 336 20, 2002.

Schwartz, A.L., M. Mori, R. Gao, L.M. Nail et M.E. King. « Exercise Reduces Daily Fatigue in Women with Breast Cancer Receiving Chemotherapy », *Medicine and Science in Sports and Exercise,* vol. 33, 2001, p. 718-723.

Schwartz, A.L., J.T. Thompson, N. Masood. « Iterferon Induced Fatigue in Melanoma: A Pilot Study of Exercise and Methyl-phenidate », *Oncology Nursing Forum,* vol. 29, 2002.

Segar, M.L., V.L. Katch, R.S. Roth, A.W. Garcia, T.I. Portner, S.G. Glickman, S. Haslanger et E.G. Wilkins. « The Effect of Aerobic Exercise on Self-Esteem and Depressive and Anxiety Symptoms Among Breast Cancer Survivors », *Oncology Nursing Forum,* vol. 25, n° 1, janvier-février 1998, p. 107-113.

Sharkey, A., A.B. Carey, C.T. Heise et G. Barber. « Cardiac Rehabilitation After Cancer Therapy in Children and Young Adults », *American Journal of Cardiology,* vol. 71, 1993, p. 1488-1490.

Shors, A.R., C. Solomon, A. McTiernan et E. White. « Melanoma Risk in Relation to Height, Weight and Exercise », *Cancer Causes Control,* vol. 12, n° 7, septembre 2001, p. 599-606.

Stone, P., A. Richardson, E. Ream, A.G. Smith, D.J. Kerr et N. Kearney. « Cancer-Related Fatigue : Inevitable, Unimportant and Untreatable. Results of a Multi-Centre Patient Survey », *Annals of Oncology,* vol. 11, 2000, p. 971-997.

Tworoger, S.S., Y. Yasui, C.M. Ulrich, H. Nakamura, K. LaCroix, R. Johnston et A. McTiernan. « Mailing Strategies and Recruitment Into an Intervention Trial of the Exercise Effect on Breast Cancer Biomarkers », *Cancer Epidemiology Biomarkers and Prevention,* vol. 11, n° 1, 2002, p. 73-77.

Warner, J.T., W. Bell, G.K. Webb et J.W. Gregory. « Daily Energy Expenditure and Physical Activity in Survivors of Childhood Malignancy », *Pediatric Research,* vol. 43, n° 5, mai 1998, p. 607-613.

Wyatt, G. et L.L. Friedman. « Long-Term Female Cancer Survivors : Quality of Life Issues and Clinical Implications », *Cancer Nursing,* vol. 19, n° 1, février 1996, p. 1-7.

Young-McCaughan, S. et D.L. Sexton. « A Retrospective Investigation of the Relationship Between Aerobic Exercise and Quality of Life in Women with Breast Cancer », *Oncology Nursing Forum,* vol. 18, 1991, p. 751-757.

FONDATION LANCE-ARMSTRONG

WWW.LIVESTRONG.ORG

La Fondation Lance-Armstrong a pour mission d'améliorer la qualité de vie des personnes atteintes du cancer, pendant et après la maladie. Nous voulons continuer à accroître et à améliorer les ressources offertes aux survivants du cancer, ainsi que faciliter la prestation des services destinés aux patients, à leur famille et à leurs proches. Il s'agit d'un projet ambitieux, mais un organisme qui porte le nom de l'homme ayant vaincu un cancer et remporté ensuite le Tour de France sept années consécutives se doit de viser haut.

Fondée en 1997 par le champion de cyclisme et survivant du cancer Lance Armstrong, la Fondation Lance-Armstrong a pour objectif d'améliorer la vie des personnes souffrant du cancer. Nous nous efforçons de promouvoir le meilleur rétablissement physique, psychologique et social possible des patients atteints du cancer ainsi qu'une prise en charge de qualité pour les patients et leurs proches. Les activités de la Fondation Lance-Armstrong sont principalement axées vers les domaines suivants : information et ressources sur la guérison, programmes collectifs, initiatives nationales de soutien et subventions à la recherche scientifique et clinique.

- Grâce à la sensibilisation et aux ressources que nous offrons au sujet de la survie au cancer, nous informons les survivants du cancer, les professionnels de la santé et le public en général sur le sujet.

- Grâce à des programmes collectifs novateurs, nous contribuons au développement de services ultérieurs au traitement et au soutien des survivants du cancer.
- Grâce à des initiatives nationales de soutien, nous abordons des questions de politique en matière de santé dans le but d'accroître le soutien et les services offerts aux survivants du cancer et à leurs proches.
- Grâce aux subventions de recherche scientifique et clinique, nous appuyons la recherche d'une meilleure compréhension du cancer et de sa guérison.

En leur fournissant des informations, des services et du soutien, la Fondation Lance-Armstrong s'efforce d'aider les personnes atteintes du cancer, ainsi que leurs proches, à traverser les périodes difficiles du diagnostic et du traitement, et elle encourage chacun à adopter la même attitude positive que celle dont Lance Armstrong a fait preuve pour livrer bataille au cancer.

La Fondation Lance-Armstrong est un organisme sans but lucratif enregistré, selon la législation américaine 501-c/3, et situé à Austin au Texas. Pour obtenir des renseignements supplémentaires ou pour effectuer un don, veuillez vous rendre sur notre site Internet au www.livestrong.org. Vous pouvez également nous contacter par courrier postal à l'adresse suivante : P.O. BOX 161150, Austin, Texas 78716-1150.

MEMBRE DU GROUPE SCABRINI

Québec, Canada
2006